正史里的广西

龙小峰——著

正史里的广西

宋元卷

广西人民出版社

图书在版编目（CIP）数据

正史里的广西. 宋元卷 / 龙小峰著. -- 南宁：广西人民出版社，2025. 4. -- ISBN 978-7-219-11900-6

Ⅰ. K296. 7

中国国家版本馆 CIP 数据核字第 2024M0D104 号

ZHENGSHI LI DE GUANGXI · SONG-YUAN JUAN

正史里的广西 · 宋元卷

龙小峰 著

总 策 划 赵彦红 萨宣敏
执行策划 李亚伟
责任编辑 陆姿烨
责任校对 黄 熠
封面设计 王程媛 牛广华
版式设计 李彦媛

出版发行 广西人民出版社
社 址 广西南宁市桂春路 6 号
邮 编 530021
印 刷 广西民族印刷包装集团有限公司
开 本 889mm × 1240mm 1 / 32
印 张 6
字 数 125 千字
版 次 2025 年 4 月 第 1 版
印 次 2025 年 4 月 第 1 次印刷
书 号 ISBN 978-7-219-11900-6
定 价 30.00 元

总序

为深入学习贯彻习近平文化思想，认真落实全国宣传思想文化工作会议精神，贯彻落实习近平总书记在文化传承发展座谈会上的重要讲话精神以及习近平总书记关于广西工作论述的重要要求，在广西壮族自治区党委宣传部组织策划下，广西人民出版社推出了五卷本《正史里的广西》。

盛世修史是中华民族流传几千年的传统，在这一传统中，我们的文化得以传承有序，我们的文明得以连绵不绝，我们的民族精神得以生生不息。以“二十四史”为核心的正史是展现中华民族起源和发展的核心典籍，在中华文明史上有着极其重要的地位。

所谓正史，指的是自西汉司马迁撰《史记》到清朝张廷玉等撰《明史》，首尾相连，记述历代王朝兴衰的二十四部纪传体史书。在汗牛充栋的中国古代史书中，正史具有核心地位。《四库全书》史部文献分十五类，以“正史类”居首，定义为“正史体尊，义与经配”，就是说正史的权威性可以与儒家经书相匹配。正史的概念始于唐初，涵盖范围随着历史发展陆续增加，到清朝中叶经乾隆皇帝“钦定”，确立为二十四部，亦称“二十四史”。1921年，北洋政府宣布将清末民初柯劭忞所撰《新元史》列入正史范围。另外，民国前期赵尔巽等撰的《清史稿》虽未通过南京国民政府审查，但由于编纂体例和定位相近，当代研究者习惯上也将它作为“准正史”看待。因此，又出现了“二十五史”“二十六史”这样的概念。

广西历史源远流长，无论是史前社会还是先秦时期，抑或是秦汉以后，都有着厚重且引以为傲的历史文化。“二十四史”等正史，便存有众多关于广西历史文化的重要资料。梳理这些传世典籍中有关广西的内容，从某种意义上讲，不仅是直接延续了广西地方文脉，更是间接守护了中华民族的文化血脉。同时，中国地方志源远流长，历代修志绵延不绝，成为中华民族特有的优秀文化传统。正所谓“国有史，地有志”，广西地方志进一步丰富了广西历史文化内容。

回顾历史，早在20世纪80年代，在已故著名学者莫乃群（1911—1990年）先生主持下，广西壮族自治区通志馆就编纂了约一百五十万字的《二十四史广西资料辑录》（广西人民出版社1989年出版），为学者研究古代广西历史提供了很大方便。我们这套《正史里的广西》，就是在上述资料辑录的基础上撰写而成的。关于撰写情况，简单说明如下：

第一，《二十四史广西资料辑录》从“二十四史”中抄录的与广西有关的资料十分完备，但仅是遵照正史原书篇章次序排列资料，并未根据资料性质分类归纳，也没有对资料进行注释或翻译。因此它主要是为学术研究服务的，不便普通读者阅读。《正史里的广西》则对“二十四史”所载相关内容突出重点，提炼专题，结合“二十四史”以外的史料，参考学术界研究成果，补充背景和细节，从而系统地向广大读者介绍与广西有关的历史文化知识。

第二，“二十四史”终结于《明史》，因此《二十四史广西资料辑录》缺乏清代内容。当时，广西壮族自治区通志馆另外编纂了《〈清实录〉广西资料辑录》(与广西壮族自治区图书馆合编，广西人民出版社1988年出版)，篇幅更为庞大，共六册，近两百万字。《正史里的广西》清代内容以与“二十四史”体例、性质基本相同的《清史稿》为准，保证全书编纂原则一致，涵盖中国古代全部王朝，前后规模大体相当，更加方便读者阅读。

第三，“二十四史”中关于广西的资料虽然相当丰富，但受限于“正史”性质和取材的影响，内容以政治、军事为主，经济和文化方面的记载比较单薄，且有遗漏。鉴于这种情况，有个别篇章在选题和内容上都超出了“正史”范围，或者说为“正史”所未载，而选取了地方志或者碑刻等文献资料。我们觉得，尽管《正史里的广西》以“正史里的广西”为题，但在某些问题上对“正史”记载有所拓展，也是合理或可以接受的。

第四，结合新时代的需求，《正史里的广西》的撰写思路遵循三项原则：首先，从铸牢中华民族共同体意识、传承中华优秀传统文化、推动中外文明交流互鉴的角度来选择书写对象；其次，挖掘历史人物、事件与广西的关联，致力于讲述中华文明发展中的广西故事；最后，点线结合，既注重对人物、事件的书写，也注重对广西历史脉络的构建。

《正史里的广西》按照时间顺序分为五册，分别由四位作者撰写。尽管各位作者的写作风格不尽相同，但都力图做到学术性与通俗性的统一，以求勾勒出广西文明史的演变脉络，呈现出立体、多元、富于动态的广西历史图景。

作为中华文明版图中的“南疆锁钥”，广西的特殊坐标既体现在地理区位的门户作用，更彰显于边疆民族地区维护国家统一、推动文化共生的历史实践。这种跨越时空的忠诚守护与文明交融，正是铸就中华民族生生不息坚实根基的核心力量。相信通过这套《正史里的广西》，读者可以更全面、深入地理解广西，从中国乃至世界文明的视域去审视广西，感知广西人民在漫长时代里披荆斩棘、一路走来的艰难辉煌历程，对广西各民族交往交流交融的历史和广西在维护民族团结、边疆安宁的贡献有更深刻的体认。

张　帆

（中国史学会副会长，北京大学历史学系原主任，统编高中历史教材《中外历史纲要（上）》主编）

目录

周渭：与包拯齐名的廉吏

太平兴国二年，为广南诸州转运副使。初，渭之入中原，妻子留恭城。开宝三年，平广南，诏昭州访求，赐钱米存恤之。及是，渭始还故里，乡人以为荣。渭奏去刘鋹时税算之繁者，重定田赋，兴学校。迁殿中丞。属有事交趾，主将逗挠无功。有二败卒擐甲先至邕州市，夺民钱，渭捕斩之。后至者悉令解甲以入，讫无敢犯。移书交趾，谕朝廷威信，将刻日再举。黎桓惧，即遣使入贡。就加监察御史，在岭南凡六年。

——脱脱等《宋史》卷三百零四《周渭传》

周渭（922—999年），字得臣，北宋昭州恭城（今广西桂林市恭城瑶族自治县路口村）人，北宋建隆三年（962年）赐同进士出身，先后任右赞善大夫、永济知县、棣州知州、广南诸州转运副使等职，官至监察御史，是北宋家喻户晓的“纪委书记”。《宋史》记载，周渭少孤，勤奋好学，工诗能文，且性格正直，为民着想。

胸怀大志，一心为民

周渭是经历了五代十国和宋代两个时期的人，而五代十国时期他所处的昭州属于南汉皇帝刘鋹（chǎng）的领土，其辖境主要在今天广西桂林市平乐、恭城等县。南汉皇帝刘鋹实行苛政，向当地百姓收取繁重的赋税。对于当时身处社会经济较落后地区的广西百姓而言，他们的生活压力更是沉重。并且，刘鋹滥用酷刑，使百姓苦不堪言。周渭向来胸怀大志，年少时被家乡的雄伟山姿所吸引，就曾立下凌云之志，在其所作《游兼山》中写道：“插空峭壁白云迷，独上高巅万象低。一路接天连楚界，两峰拔地镇南夷。泉飞石涧游魂冷，风卷松涛匹马嘶。踏破层崖心未折，凤凰山后鹧鸪啼。”这首词强烈地反映出周渭希望不受拘束、有所作为的人生志向，也是他从政期间清廉的为官之道和正直的人格品行的映照。

广西恭城周渭祠中的周渭像

周渭为人正义，不愿看到乡民过着困苦的生活，想帮助乡民免受苛税之苦，遂带领六百多名乡民离开恭城，去往零陵（今湖南永州）。不幸的是，一行人逃至半路遇到盗贼拦路，盗贼抢走了他们全部的粮食。一行人身上颗粒无存，且周围又是深山老林，再逃下去只能是活活饿死。周渭只好率乡民重新返回恭城。但是祸不单行，他们原本的住所也被盗贼焚烧。且在逃亡途中，周渭又不幸和家人离散，只得孤身北上。

对家乡的深厚情感，以及在故乡所见百姓被重赋压迫而逃难的经历，都在周渭内心深处留下了深深的烙印。因此周渭为官后，无论在何处都把减轻百姓的负担当作自己矢志不渝的责任。这种对家乡的牵绊，使他无论在成为进士前在乡任职，还是成为进士后去到异地任职，都一心为民办事，为民着想，廉洁奉公。

体恤民情，造福家乡

北宋开宝三年（970年），宋太祖平定了广南的战乱，昭州作为广南的战乱地区之一，得到了朝廷的恩泽，宋太祖下诏赐予昭州百姓钱财和米粮，以抚恤因战乱而颠沛流离的昭州百姓。《宋史·周渭传》记载："开宝三年，平广南，诏昭州访求，赐钱米存恤之。"由此，周渭作为朝廷官员，奉命回到自己的故乡赈济当地百姓。而昭州百姓也对周渭能够担任朝廷重要官员，且回到故乡为百姓开展安抚工作而感到欣慰和光荣。周渭在昭州注重政务去繁就简，尤其推行免除繁税，并根据昭州长年战乱的情况，亲自深入农田调查，根据田亩的实际情况重新厘定田赋的赋税标准。与此同时，周渭还大力兴建文教设施，推行礼教，帮助家乡教育事业的发展，培养人才以回馈家乡，进一步推动昭州经济的恢复和发展。

周渭还体恤民情，请免了恭城百姓的茶税。关于周渭回乡为官并替百姓请免茶税的情况，光绪《恭城县志》引万历年间曾三捷编纂的恭城旧志记载："宋太祖遣潘美攻刘鋹，克昭州属之旧茶城，傕盐茶。"恭城原名茶城，朝廷向恭城百姓收取繁重的茶税，这让当地百姓有苦难言。周渭了解到百姓的哀怨后，提出愿以返还皇帝所赐诰命为条件，题请免除恭城百姓的茶税，光绪《恭城县志》对此记载："周渭题请愿还所赐诰命，请除盐茶之禁，更别邑名，遂易茶城为恭城，乡民德之。"

可见，周渭在乡为官期间，不仅赈济百姓，重新制定田赋标准，还兴办学校，题请减免恭城百姓茶税，他的政策如春雨般沐浴在昭州的土地上，让百姓获得恩惠，对于恢复当地的社会经济发展有着积极作用。其体恤民情、为民着想的品行也广为百姓传颂。

执法严明，拱卫边境

周渭不仅在恢复广西社会经济发展方面锐意进取，还特别重视维护广西社会秩序和边境的长期稳定。北宋时，朝廷要平定交趾，可是由于带兵的主将治军不严，玩忽职守，因此久不建功。当周渭任殿中丞时，邕州发生一起两名战败士兵在大庭广众下抢劫民众钱财的事件。事件发生后，他立即下令逮捕劫财士兵入狱并将二人斩杀，使军纪立即严肃起来，还表示士兵进入邕州的检查制度须更加严格。此后官府规定，凡进入邕州城者都需要脱掉盔甲并接受检查后方能通过。官府通过排查入邕人员，提高了当地百姓的安全感，此后类似事件再无人敢犯。

对于交趾王黎桓不愿意再臣服于宋朝之事，周渭随即致函交趾王，态度坚决地表示如若交趾王不愿臣服于宋朝而派兵来犯的话，他将召集军队进行反击。周渭坚定而强硬的态度不仅向交趾地区传达了宋朝政府严格管理社会秩序的决心，也展示他为官严明的态度，使得交趾王因此继续臣服于宋朝廷。

自此，交趾地区的动乱被平定。周渭到岭南任职的六年间，为保障岭南百姓的生活安宁和边境稳定做出了积极的贡献。

妻子持家，坚贞不渝

周渭能够做出一番事业的背后，不得不提到一个出现在他生命中的重要人物——他的贤妻莫荃。他的妻子也是广西昭州人，与他育有两儿。周渭北上中原任职之初，他的儿子年纪尚小，莫荃也还正值青春年华。在那些书信难通且没有周渭音讯的日子里，莫荃的父亲心疼女儿，也担忧女儿的苦苦等待会被辜负，因此劝莫荃另嫁。

面对父母的劝说，莫荃哭泣着，信誓旦旦地说周渭不是遇到困难就会退缩的人，此次迎难远行，是为了实现他所追求的目标而不懈努力奋斗的行为。而周渭一去便是二十六年，莫荃含辛茹苦地独自抚养两个儿子长大成人并承担起赡养老人的责任。她在家中养蚕织布以经营家庭，勤俭持家，经过整整二十六个冬夏，她才排除万难，等到周渭当官后被调遣回到广西任职，并与她和两个儿子团聚。而待周渭归来，他想把莫荃和儿子接过去，好好弥补莫荃母子，却遭到贤惠的莫荃的婉言拒绝，莫荃只想留在家中帮助两个儿子抚养孙子们长大。最后她于昭州和两个儿子一同生活，度过了数年。而周渭回广西任职六年后又被调往浙江、四川等地任职，直到七十七岁病逝也没有再回广西。作为周渭的妻子，莫荃忠贞、坚强，她的品质实在令人感慨和敬仰，北宋著名文人朱昂作《莫节妇传》来纪念她的事迹，向后人赞扬她的高尚品德。

一生清廉，受百姓供奉

周渭一生为官清廉，为民造福谋利，因其侄子违背朝廷规定从事市马贸易，受此连累，其被朝廷从益州转运使贬为彰信军副节度使。北宋咸平二年（999年），新即位的宋真宗准备将他召回重用，但诏书下达之时，周渭不幸去世，享年七十七岁。周渭一生清廉为官，没有留下什么积蓄，家境清贫以至于死后竟然没有足够的经费下葬。宋真宗听闻此事后，便赐下钱财十万，周渭才得以入土为安。对此，《宋史》记载："咸平二年，真宗闻其清节，召还，将复用，诏下而卒，年七十七。上闵其贫不克葬，赙钱十万，以其子建中为乘氏主簿。"

周渭去世后，为了彰显周渭的贤德，恭城百姓于明成化十四年（1478年）在城东建起一座周渭祠（又叫周王庙）来纪念他，并于清雍正元年（1723年）重修。每当周渭诞辰，当地百姓都会举行盛大的纪念活动，赞誉周渭是"百代相传周御史，千秋怀念古乡贤”。周渭廉政爱民和执法如山的事迹也因此流传后世。在《宋史》中，周渭与包青天齐名，作为历史上的廉吏，他为官以来名声较好，政绩卓越，这与他为人简朴、为官清廉自守是分不开的。

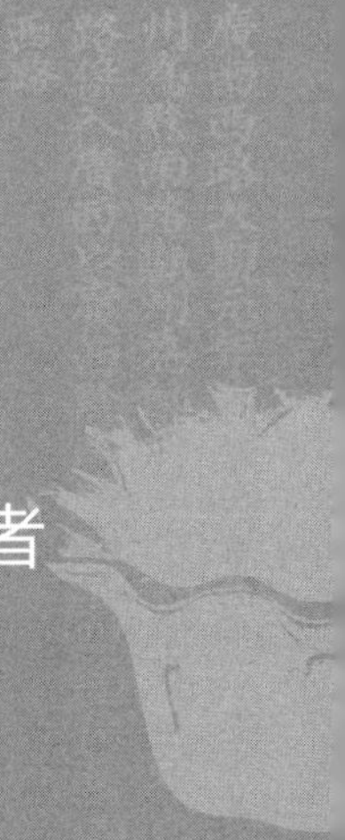

曹克明：智勇双全的南疆守护者

景德中，蛮寇邕州，改供备库副使、知邕州。左、右江蛮洞三十六，克明召其酋长，谕以恩信，是岁承天节，相率来集。克明慰拊，出衣服遗之，感泣而去。

——脱脱等《宋史》卷二百七十二《曹克明传》

曹克明（生卒年月不详），字尧卿。北宋雅州百丈县（今四川名山）人，出身于将门，喜好兵法，擅于骑射。曹克明命运多舛，他刚出生时，父亲曹光远在抗击敌人、攻占百丈县时遇害，曹克明则被仆从藏匿于苇圃中得以存活下来。存活下来的曹克明跟随叔父曹光实生活。从小经历过残酷战争的曹克明，同其父曹光远和叔父曹光实一样练得一身好武功。他经历多场战事，具有谋略和智慧，因出色的军事战略和军队部署能力而声名远扬。

恩威并施，维护安定

景德年间，曹克明任供备库副使，知邕州。邕州自唐代开始就是南部边疆重要的政治、军事重镇，境内左右江地区的三十六峒是少数民族聚居区。自唐代开始，中央王朝根据当地不同的社会状况和风俗习惯，采取因俗而治的羁縻政策。唐末至宋初，三十六峒的土酋趁时局动乱之际不断进行兼并战争，并开始向邕州进犯。时任供备库副使、邕州知州的曹克明当即召集左右江地区各部土酋，向他们传达朝廷的恩惠和信任，同时以朝廷的威严劝导各部土酋。这一天又正值宋真宗的生日——“承天节”，各部土酋聚集而来以示祝贺。曹克明安抚各酋长，并拿出衣服送予他们，使得各酋长感受到来自朝廷的关怀，心存感激地离开了。对此，《宋史·曹克明传》记载：“景德中，蛮寇邕州，改供备库副使、知邕州。左、右江蛮洞三十六，克明召其酋长，谕以恩信，是岁承天节，相率来集。克明慰拊，出衣服遗之，感泣而去。”

慶路走馬承受公事契丹謀入塞爲鎮定高陽關行營
同押先鋒事會許民周繼宗爲人誣告與外夷交通干
證者六十人辭服遣守珍覆問悉辨理出之從真定保
趙等州駐泊都監邕桂等十州安撫都監從曹克明降
撫水州蠻築二柵以扼其要天禧初擒盗於青灰山累
遷西京作坊使帶御器械永興軍兵馬鈐轄從真定邠
寧路爲內侍省內侍押班提點內弓箭軍器庫進內園
使右班都知領端州刺史嘗侍仁宗苑中命乘馬馳射
賞其便習賜錦袍卮酒卒贈原州防禦使
韓守英字德華開封祥符人初爲入內高品從征河東

《宋史》中关于曹克明的记载

曹克明动之以情，晓之以理，通过对土酋们施与恩惠，争取了大部分土酋的归顺。但仍有少数顽固不化，不归顺宋朝的部落酋长，如洪洞的首领陆木前依仗地势险要，断定宋朝不敢武力进攻而拒绝归顺。针对此情况，曹克明则严令两江防遏使黄众盈率领军队攻上洪洞，捕杀了陆木前，并且将其头颅悬于市场上以示众。

曹克明以恩威并施的方式实现了左右江地区土酋们对宋朝的归顺，在一定程度上保障了左右江地区的安定局面，维护了宋朝在南部边疆的稳定。

善用土兵，平定兵变

北宋景德四年（1007年），宜州（今广西河池宜州区一带）澄海军校陈进率领士兵在邕州兵变。当时邕江正值涨水期，水漫邕州城，使得城中许多建筑物倒塌。曹克明利用水涨船高的特点，迅速征集民夫砍伐林木以建造连舫，这些高高的连舫横于江面，如同城墙，以此防御敌人来袭。接着，曹克明又令人张罗军营旗帜，将其系在浮于江面的巨大筏舟之上，安排士兵列阵于巨筏上，整军进入防御状态，以备江上来犯之敌。

做好了江上防御工事后，此前被曹克明招抚的左右江地区三十六峒土兵在平定陈进兵变中起到了重要的作用。曹克明一声令下，便顺利地在左右江地区招募到了三千名土兵前往前线支援宋军。同时，曹克明再令黄众盈率一千五百名土兵浩浩荡荡地赶往象州（今广西象州），并与广南巡抚使曹利用约定了两军在象州会合的时间和地点。但是曹克明所率军队尚未到达象州，即在贵州（今广西贵港）与陈进迎面相遇。最终，在曹克明的指挥下，曹克明军打败了陈进军，曹克明所率军队也因此贻误了到象州与曹利用会合的时机。

由此，曹克明平定兵变的功劳被曹利用独占。曹克明率军返回邕州后，继续在邕州履职，三年后任满回朝。宋真宗问起他在南方邕州平乱之事，曹克明据实回答。宋真宗对他任职期间的作为感到十分满意，便恩准他一个儿子为官，并升任曹克明为供备库使，担任江、淮、两浙的都大提举，继而调领平州刺史、知辰州。

治理边境，政绩卓越

随后不久，曹克明便迁知桂州，兼管粤西各溪峒事，并为此设置了“溪峒司”。宋代，粤西溪峒多为少数民族聚居的地区，社会经济发展缓慢，经济和文化的发展毋庸置疑要比内地落后。羁縻各州“覆茅为屋，岁多火”。曹克明管理桂州时，选用北方军守州郡，教民用陶瓦造屋，引江河水入城以防火灾，传播了先进文化和生产技术。

此外，曹克明在担任桂州、邕州知州期间为维护宋朝与交趾边境的稳定做出了重要贡献。天圣年间，交趾王李公蕴野心勃勃，一方面遣人向宋朝进贡，一方面又不断侵犯宋朝南部边疆。北宋天圣六年（1028年），李公蕴遣欢州刺史李公显来朝贡，继而又派其子弟及其婿申承贵率兵入寇邕州。宋朝随即令广南西路转运司调发邕州溪峒兵抗击交趾的入侵，并使曹克明复知邕州，以文思使身份应对交趾侵袭邕州之事。在用兵抗敌的同时，曹克明即遣人前往交趾，谕以利害，李公蕴畏服，并拜表谢罪，停止了侵袭活动。曹克明也因成功化解交趾对邕州的侵袭而升任西上阁门使，离开广西。此后，曹克明历任登州（今山东蓬莱）、舒州（今安徽安庆）、邵州（今湖南邵阳）知州，最后再任鼎州（今湖南常德）知州，在鼎州任上去世。

曹克明戍守广西多年，二知邕州，一知桂州，在守卫宋朝边疆，维护国家的统一与安全，促进各民族之间的交往交流交融方面，客观上起到一定的积极作用。

宋代广西百科全书诞生记

成大素有文名，尤工于诗。上尝命陈俊卿择文士掌内制，俊卿以成大及张震对。自号“石湖”，有《石湖集》《揽辔录》《桂海虞衡集》行于世。

——脱脱等《宋史》卷三百八十六《范成大传》

南宋乾道年间，政局风云变幻，一代文臣范成大，以博学多才、刚正不阿著称于世。然而他却因故被贬谪岭南，去往远离京城的偏远之地——静江府做知府。此次“南宅交广之行”，使他体会到了广西的风土人情，撰写了一部记录广西风土民俗的不朽之作——《桂海虞衡志》，在此过程中，也使他与广西人民结下了深厚的情谊。

宦海浮沉，边疆使命

南宋时期，宋金长期处于对峙状态，双方战争和冲突不断，而宋朝朝廷内部又存在复杂的政治斗争和派系之争。宋孝宗时期，虽然试图进行一系列的改革和整顿，但终因朝廷内部的腐败和权力斗争，问题未能得到根本解决。

范成大原本在朝廷任中书舍人，却因直言进谏，得罪权贵。当时，宋孝宗亲笔抄写东汉崔寔的《政论》赐给辅臣，意在整顿吏治，然而大臣们层层加码，导致刑罚过重，民不聊生。范成大

范成大画像

上奏直言：皇帝御笔写《政论》，本意在于严格法纪，整顿积弊。但大理寺在议定刑罚时，却将每种刑罚都加重一级。范成大认为这不是以严刑换取太平，而是以残酷换取太平。此言一出，朝野震动，宋孝宗称赞他的建议为“知言”，但范成大也因此得罪了权贵。后来，宋孝宗宠臣张说被任命为签书枢密院事，范成大拒绝为奸臣张说起草制书，还将命令扣留七天不发，此后又上疏劝告宋孝宗，最终阻止了任命，却因此得罪了宋孝宗。对此，《宋史·范成大传》记载：“除中书舍人。初，上书崔寔《政论》赐辅臣，成大奏曰：‘御书《政论》，意在饬纲纪，振积敝。而近日大理议刑，递加一等，此非以严致平，乃酷也。’上称为知言。张说除签书枢密院事，成大当制，留词头七日不下，又上疏言之，说命竟寝。”此后范成大又因多次上疏指出朝政弊端而遭受排挤，最终被贬至被时人认为瘴气盛行的岭南担任静江知府兼广西经略道安抚使。

南宋乾道八年（1172年），范成大携家眷自江南水路，经荆湖南路，最终抵达广西桂林。彼时，广西地区偏远贫困，财政收入单一，盐利成为地方财政的支柱。然而，仅靠盐利支撑，地方财政入不敷出，只能向百姓摊派重税，百姓生活苦不堪言。范成大一到任，便深感此地民生维艰，心中暗自发誓，定要改变这一现状。

范成大深知盐政之弊，多次上疏朝廷，请求改变盐税上缴比例。他指出，因运盐衙门将大部分利润攫取，故地方县邑为创收，只能高价卖盐，百姓深受其害。在他的不懈努力下，朝廷终于同意核减静江府盐税上缴额度，地方财政压力得以缓解，百姓身上的重负也有所减轻。范成大还提出可以强制减去漕司强取的盐利，令各郡县压力减轻，那么高价售盐即可禁止，皇帝最终采纳了范成大的意见。对此，《宋史》记载："知静江府。广西窘匮，专借盐利，漕臣尽取之，于是属邑有增价抑配之敝，诏复行钞盐，漕司拘钞钱均给所部，而钱不时至。成大入境，曰：'利害有大于此乎？'奏疏谓：'能裁抑漕司强取之数，以宽郡县，则科抑可禁。'上从之。"范成大这一举措深得民心，造福百姓，当地百姓对这位新来的知府感激不尽。

范成大在广西任职期间，不仅关注盐政改革，还兴修水利，以解民困。他修复了角沟、朝宗古渠等水利工程，使当地百姓受益良多。这些水利工程的修复，不仅提高了农田灌溉效率，还改善了当地的水文环境，为农业生产的稳定发展提供了有力保障。范成大的这些举措，赢得了广西百姓的广泛赞誉和深深敬仰。

著书立说，躬身实践

范成大作为一位博学多才的文人，对方志学有着浓厚的兴趣，并且留下了不少流传至今的名著。《宋史》记载："成大素有文名，尤工于诗。上尝命陈俊卿择文士掌内制，俊卿以成大及张震对。自号‘石湖’，有《石湖集》《揽辔录》《桂海虞衡集》（又称《桂海虞衡志》）行于世。”范成大在广西任职期间深知记录地方历史、文化、风俗的重要性，因此决定将自己在广西的所见所闻整理成书，以传之后世。同时，他也希望通过写书，为后人研究广西地区的历史文化提供有价值的资料。

范成大在撰写《桂海虞衡志》之前，首先确定了篇章结构。他根据自己在广西的所见所闻和搜集到的资料，将全书分为《志岩洞》《志金石》《志香》《志酒》《志器》《志禽》《志兽》《志虫鱼》《志花》《志果》《志草木》《杂志》《志蛮》等十三篇。每篇各有小序，概述该篇要义和收录范围。

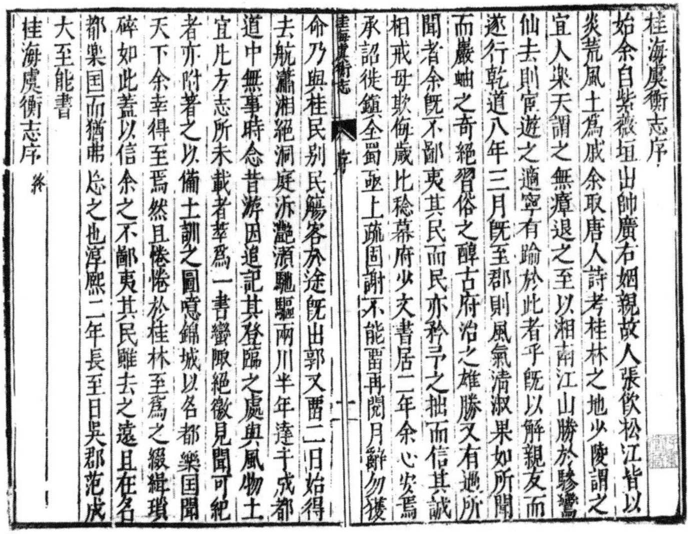
桂海虞衡志序
始余自紫薇垣出帥廣右姻親故人張欽松江皆以
炎荒風土為戚余取唐人詩考桂林之地少陵謂之
宜人樂天謂之無瘴退之至以湘南江山勝於驂鸞
仙去則宦遊之適寧有踰於此者乎既以解親友而
遂行乾道八年三月既至郡則風氣清淑果如所聞
而巖岫之奇絶習俗之醇古府治之雄勝又有過所
聞者余既不鄙夷其民而民亦矜予之拙而信其誠
相戒毋欺侮歲比稔幕府少文書居二年余心安焉
承詔徙鎮全蜀亟上疏固謝不能留再閱月辭勿獲
桂海虞衡志　序
命乃與桂民別民觴客於途既出郭又留二日始得
去航灊湘絶洞庭泝灧澦驅兩川半年達于成都
道中無事時念昔游因追記其登臨之處與風物土
宜凡方志所未載者萃為一書蠻陬絶徼見聞可紀
者亦附著之以備土訓之圖意錦城以名都樂国聞
天下余幸得至焉然且惓惓於桂林至為之綴緝瑣
碎如此蓋以信余之不鄙夷其民雖去之遠且在名
都樂国而猶弗忘之也淳熙二年長至日吳郡范成
大至能書
桂海虞衡志序　終

《桂海虞衡志》序

在广西任职期间，范成大在处理政务以外，还利用闲暇时间进行实地考察。他游览了桂林及周边地区的众多岩洞、山川，亲自观察了当地的动植物资源，体验了少数民族的生活习俗。范成大在考察时完全投入所考察的环境之中。得益于这些实地考察的经历，他在写作中表达了真实的感受，他撰写《桂海虞衡志》时收集了丰富的第一手资料。范成大这种务实的态度促使他编撰此书时积累了许多珍贵的材料，以至于此书受到后人的广泛赞誉。《桂海虞衡志》作为范成大实地考察写成的著作，虽然其足迹可能并未遍及广西，但其注重实地考察的著书方法却值得世人认可和学习。

除实地考察外，范成大还广泛搜集了关于广西地区的文献资料和历史传闻。他通过查阅地方志、史书、笔记等资料，对广西地区的自然环境、历史沿革、社会经济等方面有了更深入的了解。同时，他也注意搜集边远地区的一些传闻和民间故事，以丰富书稿的内容。

在广西任职期间，范成大并没有因为被贬谪而一蹶不振、满怀失意。为官，他劳心劳力，为了改善百姓的生活、生产条件而积极革除弊政；为文人，他利用自己的闲暇时间深入了解广西地区的风土人情、物产资源以及当地少数民族的社会经济、生活习俗等情况，从而完成了一部供世人了解宋代广西的重要著作。

追忆往昔，桂海志成

南宋淳熙二年（1175年），范成大受任为敷文阁待制、四川制置使。当他离开广西时，百姓们依依不舍，纷纷跪别。范成大虽然离去，但他的政绩永远留在当地百姓心中，成为世代相传的佳话。范成大离别时亦深受感动，当同僚和友人送他到全州并与之辞别时，他写下了“南归北去路茫茫，不是行人也断肠”“把酒故人都别尽，今朝真个出阳关”的诗句，将其对广西、对友人的恋恋不舍表现得淋漓尽致。在离桂入蜀途中，范成大追忆在广西的所见所闻，对《桂海虞衡志》书稿进行了增补，并不断完善。他将自己离桂后的回忆和新的发现融入书稿中，使书稿的内容更加翔实。最终，《桂海虞衡志》在范成大离桂入蜀途中成书问世，成为屈指可数的记载广西地方史的宋代著作。

《桂海虞衡志》终稿共分为《志岩洞》《志金石》《志香》《志酒》《志器》《志禽》《志兽》《志虫鱼》《志花》《志果》《志草木》《杂志》《志蛮》等十三篇，每篇各有小序，详尽记载了宋代广西地区的风土人情、物产资源以及当地少数民族的社会经济、生活习俗等情况，内容翔实，是研究宋代广西少数民族的重要资料。此书不仅是一部记述风土民俗的著作，更是一部具有科学精神的博物学学术著作。在书中，范成大对前人之说有颇多纠谬之处。如他在《志金石》篇中订正了《本草》中关于辰砂、宜砂的错误分类；在《志草木》篇中，他考证了零陵香并非产自永州之零陵，而是宜、融诸州。

《桂海虞衡志》的编纂，不仅是范成大个人文化修养的展现，更是对南宋时期广西地区文化的一次全面梳理和传承，它以地区为单位分门别类记述了广西地区的自然环境、物产资源、民族风情等各个方面的情况。这部著作不仅丰富了我国古代地方志的宝库，更为后世研究广西历史、文化、民族等方面提供了重要的参考依据。

当时与范成大同在桂林做官的周去非（时任静江府通判），受其影响写了《岭外代答》一书，全面介绍当时广西的政治、经济、民族等情况，内容比《桂海虞衡志》更加丰富，堪称是前者的姊妹作。周去非在自序中说，自己在桂林任职时“尝随事笔记，得四百余条……晚得范石湖《桂海虞衡志》……因次序之”。从中可以看出范书对他著《岭外代答》的启迪与影响。

《桂海虞衡志》不仅为后人提供了研究宋代广西地区历史文化的重要资料，还对中国古代地方志学的发展产生了深远的影响。它以独特的风格和卓越的成就，在中国古代文化史上占据了重要的地位。同时，范成大在撰写过程中展现出的严谨学术态度和深厚学识功底也为后人树立了榜样。身为地方官，范成大在广西任官的四年间与广西结下了不解之缘，他的笔触，向世人展示了广西独特的山水美景和风土人情，使广西的历史和文化得以传承和发扬。

因战马而兴的横山寨博易场

朝廷买马横山，岁久弊滋，边氓告病，而马不时至。栻究其利病六十余条，奏革之，诸蛮感悦，争以善马至。

——脱脱等《宋史》卷四百二十九《张栻传》

蛮马之来，他货亦至。蛮之所赍，麝香、胡羊、长鸣鸡、披毡、云南刀及诸药物。吾商贾所赍，锦缯、豹皮、文书及诸奇巧之物，于是译者平价交市。招马官乃私置场于家，尽揽蛮市而轻其征，其入官场者，什才一二耳。

——周去非《岭外代答》卷五《邕州横山寨博易场》

横山寨博易场，位于今广西田东县平马镇附近，是宋代中原地区与西南地区进行贸易的重要场所。《宋史》和《岭外代答》均对其有记载。彼时的横山寨博易场如同一颗璀璨的明珠，镶嵌在宋朝西南边陲的广袤大地上。这座博易场，不仅是中原与西南地区贸易的桥梁，更是古代长程贸易网络中的一个重要节点。其兴起后迅速发展，但发展过程中也曾出现过各种弊端。横山寨市马贸易的盛衰，不仅见证了宋朝西南边疆经济的繁荣与衰落，也深刻影响了周边地区的经济格局，促进了文化交流。

缘起边疆，贸易初现

古代的长程贸易是一种跨越较长距离进行的商品贸易活动。它起源于人类社会的早期并随着历史的发展而不断演变。长程贸易具有跨越距离长、商品种类多、风险与收益并存以及文化交流广泛等特点。它对古代社会的经济发展、文化交流和社会变革都产生了深远的影响。博易场作为边境贸易市场，为长程贸易提供了重要的交易平台。来自不同地区的商品在博易场上汇聚，通过交易实现流通。这种流通不仅满足了当地民众的需求，还推动了长程贸易的发展。

在冷兵器统治天下的时代背景下，战马作为不可或缺的军事资源，与骑兵部队在广袤的陆地战场上，对敌方构成了强有力的震慑，是具有毁灭性的抗击力量。因此，历朝历代政府为强化国防之需，多致力于在西北地区购马或大力繁育马匹，以壮大战马力量。至北宋时期，宋朝为与辽、夏两国相抗衡，对战马的需求急剧增加。然而，昔日马匹的主要来源地——西北地区，宋时已落入辽、夏之手，难以再像往日那般为宋朝廷提供充足的战马资源，导致宋朝战马供应严重不足。面对此困境，北宋朝廷逐步将目光转移他处，寻求补充战马途径的多元化。

迨至南宋立国之初，由于北方沦陷，南宋失去了通过陕西一带与西北游牧民族进行战马贸易的通道，出于对金作战中对于战马的迫切需要，南宋朝廷开始从广西购买来自西南诸番的战马。在此背景下，广西凭借独特的地理位置和资源优势，成为南宋朝廷获取战马的首要选择地。其中，邕州逐步成为战马采购的重要基地——横山寨博易场应运而生，成为广西西部物资集散地和战马交易的重要市场。北宋元丰年间，广西帅司在邕州设置了一名专职买马官，常驻于此，负责从西南地区采购马匹。这一举措，标志着横山寨博易场的前身——一个以马匹交易为主的贸易市场逐步形成。

南宋绍兴三年（1133年），朝廷正式在广西邕州置市马司提举，邕州市马司于横山寨设博易场作为马市，大量采购从大理运来的马匹，这些马匹被称为“广马”。“广马”这一称谓，并非专指广西一地所产出的马匹，而是广泛涵盖了云南、贵州及广西等地民众精心培育的西南系列马种。由于南宋朝廷特意选择在广西的横山寨进行这些马匹的采购，并由横山寨负责组织马匹的向外运输，故而这些马匹被统称为“广马”。

周去非《岭外代答》记载：“自元丰间，广西帅司已置干办公事一员于邕州，专切提举左、右江峒丁同措置买马。”此举表明，早在北宋元丰年间，朝廷就已经开始在邕州设立专门机构，负责西南地区的马匹采购工作。而横山寨博易场，则是这一采购活动的重要据点。纵观宋时广西地区的博易场，其布局多聚焦于军事堡垒及战略要地，实质上扮演着军事防御体系下的经济交易据点的角色。鉴于这些博易场坐落于宋朝疆域范围的边缘地带，故宋朝的边疆安全态势及相应的政策导向，成为决定这些博易场形成与发展的关键因素。

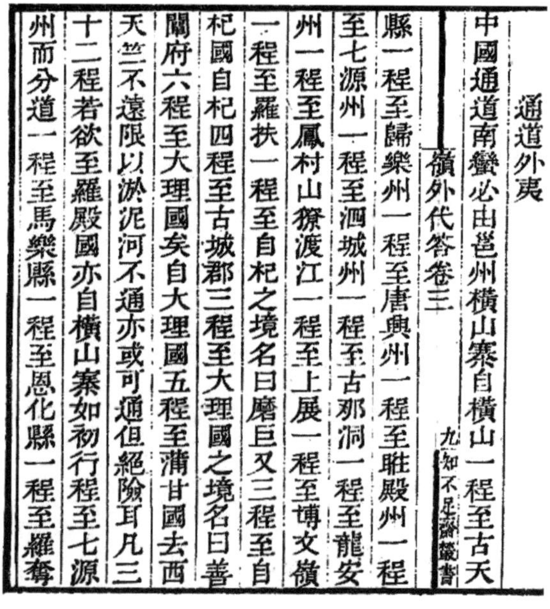
通道外夷
中國通道南蠻必由邕州横山寨自横山一程至古天
嶺外代答卷三　九　知不足齋叢書
縣一程至歸樂州一程至唐興州一程至睢殿州一程
至七源州一程至泗城州一程至古那洞一程至龍安
州一程至鳳村山獠渡江一程至上展一程至博文嶺
一程至羅扶一程至自杞之境名曰磨巨又三程至自
杞國自杞四程至古城郡三程至大理國之境名曰善
闡府六程至大理國矣自大理國五程至蒲甘國去西
天竺不遠限以淤泥河不通亦或可通但絕險耳凡三
十二程若欲至羅殿國亦自横山寨如初行程至七源
州而分道一程至馬樂縣一程至恩化縣一程至羅奪

《岭外代答》中关于横山寨的记载

横山寨博易场的设立源于南宋对战马的需要，以及稳定西南边疆和发展经济的需要。宋朝廷鼓励开发南方，并通过设置博易场来促进中原与边疆地区的贸易往来。这些博易场不仅为朝廷提供了战备所需的物资，还带动了边疆地区的商贸兴起，促进了文化交流。作为边境贸易市场，横山寨博易场为长程贸易提供了重要的交易平台，来自不同地区的商品在博易场上汇聚，通过交易实现流通，这种流通不仅满足了当地民众的需求，还推动了长程贸易的发展。

古道通衢，异地互市

横山寨博易场的兴起，得益于其优越的地理位置和交通条件。右江流经此地，成为沟通云南地区和岭南地区的“大动脉”。自古以来，广西地区就与云南地区存在着密切的经济联系和文化交流。在宋朝正式设立博易场之前，广西已是各地区贸易往来之地。

周去非所著《岭外代答》详细记载了从横山寨去往云南地区的道路：“自横山一程至古天县，一程至归乐州，一程至唐兴州……一程至自杞之境名曰磨巨，又三程至自杞国。”这条百越古道不仅是马匹交易的通道，也是各种商品交易和文化交流的桥梁。彼时大理、自杞、罗殿等西南诸国的商人，沿着这条古道将马匹及其他商品运至横山寨博易场，与来自各地的商人进行交易。随着商贸活动日益频繁，横山寨博易场成为当时广西乃至全国知名的贸易中心。马匹交易作为其主要业务之一，不仅满足了宋朝对战马的需求，也带动了周边地区的经济发展，促进了文化交流。

北宋时期的横山寨市场只面向羁縻州县的百姓，贸易规模和范围有限。南宋时期，横山寨博易场的马匹交易规模不断扩大，每年冬天，大理、自杞、罗殿等地的商人将大量马匹运至广西边境，然后由招马官和巡检、甲士护送至广西泗城州（今广西凌云），再至横山寨。邕州知州和买马经干等人也带着货物、钱币到横山寨进行交易。彼时横山寨交易规模之大、数量之多，令人叹为观止。

至南宋绍兴年间，横山寨博易场每年交易的马匹数量达到了数千匹之多。这些马匹不仅作用于军事，还促进了中原与西南地区的经济联系和文化交流。同时，马匹交易也带动了其他商品的交易，对此，《岭外代答》记载："蛮马之来，他货亦至。蛮之所赍，麝香、胡羊、长鸣鸡、披毡、云南刀及诸药物。吾商贾所赍，锦缯、豹皮、文书及诸奇巧之物，于是译者平价交市。"西南诸国带来的货物主要是马、麝香、胡羊、长鸣鸡、披毡、云南刀、药物等，是为中原地区的人们所喜爱的西南诸国特产。而宋朝主要货物为盐、金、银、彩、锦、豹皮、文书等，是西南诸国的人们所需要的生活物品。贸易货物基本能满足对方的经济需要和生活习俗，例如西南诸国缺盐，而广西钦州盛产盐且靠近邕州，便于将盐运至横山寨博易场与西南诸国的商人进行交易，以满足西南诸国人们对盐的需求。

宋朝这个长程贸易网络以广马贸易所在地——邕州横山寨为交易中心，而横山寨背后则是一个以静江府为中心支撑起来的更广泛的贸易网络。这一贸易网络不仅是西南诸国和宋廷交换战马的主要渠道，还是连接起金、银、盐以及锦彩等大宗商品的长程商业网络。负责买马的经略司、买马司，静江、邕州等与买马关系密切的地方政府，负责在博易场参与博易的边疆官吏，作为招马官的田州土酋，大理、罗殿、自杞等国商人，以及在博易场中参与买卖的店户、溪峒官乃至一般百姓，从事私锦、水银走私贸易的兴安商人等，无不置于这一贸易网络中。因此，广马贸易不仅是宋朝西南边缘地区与诸番之间的双边贸易，还是一个把广西、湖南、福建以及云贵等区域联系起来的多重贸易网络。

古道遗风，商贸余韵

横山寨博易场不仅是一个商贸中心和经济实体，还是一个文化交流和融合的平台。在这里，中原文化与西南少数民族文化相互碰撞、交融，形成了独特的文化景观和历史遗产。博易场的繁荣与长程贸易的发展密不可分。长程贸易为博易场提供了丰富的商品来源和广阔的市场需求。同时，博易场也为长程贸易提供了便捷的交易渠道和稳定的交易环境。但随着时代的变迁和历史的演进，横山寨博易场逐渐走向了衰落。

南宋宝祐元年（1253年），忽必烈率蒙古军灭大理国，切断了马匹来源，南宋从大理国购马至此终止。南宋开庆元年（1259年），蒙古军大将兀良哈台率蒙古铁骑三千、士兵万人攻破横山寨，把横山寨夷为平地。一方面，元朝统一中国后，随着北方丝绸之路重启，横山寨博易场在贸易中的地位逐渐下降，茶马古道中断；另一方面，随着战事的减少，对马匹的需求急剧缩减，加之元朝本身战马资源丰富，这导致了马市的规模显著萎缩。在此背景下，横山寨博易场也遭到了废弃，不再是贸易的中心。与此同时，广西茶马古道的衰落进程加快，昔日繁华的商贸路径逐渐淡出了历史舞台。

尽管如此，横山寨博易场作为宋代中原地区与西南地区进行长程贸易的重要场所，其历史地位和影响依然不容忽视。对地区经济的发展来说，横山寨博易场促进了当地经济的繁盛，同时也增强了贸易双方的经济实力，正如周去非在《岭外代答》中所言，“朝廷南方马政专在邕，边方珍异，多聚邕矣”，“时邕州宽裕，而人皆便之”。

作为中原与西南地区贸易的桥梁和纽带，横山寨博易场促进了不同民族之间的文化交流和融合。中原商人带来了先进的技术、品种繁多的商品以及丰富的文化成果，而西南地区商人则带来了独特的民族风情和传统文化。这些文化元素在横山寨博易场中相互交织、相互影响，形成了独特的文化景观和历史记忆。以横山寨博易场为交易场地的长程贸易促进了不同地区、不同民族之间的交往交流交融。

周去非与《岭外代答》

岭外唯产苎麻，许令折数，仍听织布赴官场博市，匹为钱百五十至二百。

——脱脱等《宋史》卷一百七十五《食货志上三·布帛》

盖尝随事笔记，得四百余条。秩满，束担东归，邂逅与他书弃遗，置勿复称也。乃亲故相劳苦，问以绝域事，骤莫知所对者，盖数数然。至触事而谈，或能举其一二，事类多而臆得者浸广。晚得范石湖《桂海虞衡志》，又于药裹得所钞名数，因次序之，凡二百九十四条。应酬倦矣，有复问仆，用以代答。

——周去非《岭外代答·序》

南宋周去非的《岭外代答》为宋代记载广西的地理名著，堪称《桂海虞衡志》的姊妹篇。

周去非，字直夫，浙东路永嘉（今浙江温州）人，南宋隆兴元年（1163年）进士。生平事迹已难以详考，其好友楼钥在淳熙十六年（1189年）周去非去世后为他写了祭文，在祭文中说他年寿五十五，由此推知周去非的生卒年大概为1134年至1189年。周去非是宋徽宗宣和初年大儒周行己的族孙，家境优渥，他和几个兄弟都由大哥周鼎臣培养成才，不过其仕途并不顺畅。据考证，周去非在广西的经历大概为：乾道八年（1172年）至九年（1173年）夏，担任钦州教授（学官名，承担地方学校的教学、管理等多项工作）；乾道九年（1173年）秋至淳熙二年（1175年）春，担任静江府属县县尉，专掌治安捕盗之事；淳熙二年（1175年）春至淳熙四年（1177年），再任钦州教授。另据《岭外代答》："余尝摄邑灵川。"可知周去非还有可能曾以县尉官职代理灵川知县。

周去非画像

缘起广西，结识范成大、张栻

南宋乾道八年（1172年），周去非任钦州教授。第二年，周去非因母亲去世，回乡处理丧事，离开钦州。范成大对周去非在任钦州教授时展露的才华十分赏识。在周去非离桂回乡“丁忧”的路上，范成大为其写了一首赠别诗——《送周直夫教授归永嘉》，该诗写道：“青灯相对话儒酸，老去羁游自鲜欢。昨夜榕溪三寸雨，今朝桂岭十分寒。知心海内向来少，解手天涯良独难。一笑不须论聚散，少焉吾亦跨归鞍。”可以看出范成大将周去非视为“海内知心”，该诗将知音难觅之感、依依惜别之情流诸笔端。乾道九年（1173年）秋至淳熙二年（1175年）春，范成大相继推荐周去非担任静江府属县县尉、灵川知县等职。周去非赴范成大之约成为周去非开启探索广西民风民情之门的一个重要契机。

周去非在广西任职期间与范成大结下了深厚的情谊，其在《岭外代答》自序中谓“试尉桂林”。范成大时常会叫周去非到静江帅府议事，对此，周去非在《岭外代答》中称：“乾道丁亥，静江瑶人犯边，范石湖檄余白事帅府，与闻团结边民之事。”“团结边民”虽是县尉之事，但以县尉身份常到帅府议事，亦能说明二者关系之密切。事实上，二人也是很好的朋友，范成大《桂海虞衡志》成稿之后，周去非很快就拜读了该书稿，乾隆时期的《四库全书总目》认为，周去非《岭外代答》就是“本范成大《桂海虞衡志》而益以耳目所见闻”。

淳熙二年（1175年），范成大受任敷文阁待制、四川制置使，赴成都任职，张栻接任范成大出任静江知府、广西经略安抚使。张栻，字敬夫，号南轩，是南宋著名的理学家，淳熙二年（1175年）至淳熙五年（1178年）任广西经略安抚使兼任静江知府。而周去非在淳熙二年（1175年）受到时任钦州知州——名将岳飞第三子岳霖的邀请，再次出任钦州教授一职。周去非虽在钦州，但经常去静江府请教张栻，正如明末清初学人黄宗羲在《宋元学案》中说，周去非“学于南轩，尝从之桂林”。周去非与张栻二人为亦师亦友的关系。周去非在广西期间虽然职务不高，但任职时间长达六年，跨越桂北、桂南，且与各级官员有着密切联系，因此，他对广西及周边地区的了解可以说相当深入。

破除时人对广西刻板印象

淳熙二年（1175年），岳霖接替前任知州郑人杰，出任权知钦州军州事，随后在钦州“拓建学宫”，大兴教育。嘉靖《钦州志》记载：“儒学旧在城南门外，宋治平元年移建城东门外，崇宁三年建三舍，以其狭隘，徙于州南。淳熙四年，知州安阳岳霖拓而重建。”担任过钦州教授，拥有丰富治学经验的周去非无疑成为岳霖发展钦州教育事业的重要助手，于是周去非应岳霖之约辗转又回到了钦州，第二次出任钦州教授。

彼时，在钦州设立的钦州博易场已成为南宋与东南亚各国，甚至与大秦（罗马帝国）、大食（阿拉伯帝国）、木兰皮诸国的贸易中转站。当时交趾商人“遵岸而行”，“舟楫往来不绝”，富商“自蜀贩锦至钦，自钦易香至蜀，岁一往返，每博易动数千缗”。在钦州，周去非有了更多机会去了解在此地流转的各地的特产。闲暇之余，周去非喜欢走进钦州博易场，直观地去体验当地新奇的贸易物品。如周去非在《岭外代答》中描述了在钦州博易场中，南宋与东南亚各国贸易十分活跃："凡交趾生生之具，悉仰于钦，舟楫往来不绝也。博易场在城外江东驿。其以鱼蚌来易斗米尺布者，谓之交趾蜑。其国富者来博易者，必自其边安州移牒于钦，谓之小纲，其国遣使来钦，因以博易，谓之大纲。所赍乃金银、铜钱、沉香、光香、熟香、生香、真珠、象齿、犀角。吾之小商近贩纸笔、米布之属，日与交人少少博易，亦无足言。唯富商自蜀贩锦至钦，自钦易香至蜀，岁一往返，每博易动数千缗，各以其货互缄，逾时而价始定。既缄之后，不得与他商议。”从中可以看出，在钦州博易场，周去非能够见识到各式各样具有东南亚风情的商品。由此，钦州博易场也成为周去非了解当时岭南地区与海外诸国贸易情况的重要途径。

因为在钦州任职教授，所以周去非的著作《岭外代答》被注入了许多钦州元素。如《岭外代答》记载钦州的天气时，周去非说："雨则寒气淅淅袭人，晴则温气勃勃蒸人，阴湿晦，一日数变，得顷刻明快，又复阴合。冬月久晴，不离葛衣纨扇；夏月苦雨，急须袭被重裘。大抵早温，昼热，晚凉，夜寒，一日而四时之气备。”在该书中，他记录了自己在钦州见识到的稀奇物种，如《岭外代答》描述了钦州有一种全身洁白如雪的鹿，以及地方官员买下这些鹿以进献给朝廷之事：“钦州平野多鹿，中有一鹿，大躯，长角，玉雪其色。尝堕苏氏网罗，几擒而逸。淳熙乙未二月，有野妇把一白麛鬻于市，太守郑以钱七百得之。日取生牛乳饲之，长大乃雌尔，然驯狎可爱。郑求得张曲江进白鹿故事，作累金羁络掩尾之饰，将以进呈而不遂。然钦之白鹿，自昔有之，不足异也。”

周去非的《岭外代答》为时人了解广西提供了独特的视角。彼时世人对广西存有刻板的负面印象，如《宋史》记载：“时边臣争务开边，夔、峡、岭南不毛之地。”即包括广西在内的岭南地区在宋代仍被视为荒凉、贫瘠的地方。周去非在《岭外代答》中通过记载广西的手工业、造船业、渔业等发展情况，展现了广西百姓的聪明才智，体现了身处“不毛之地”的广西拥有丰富的物产资源及独特的地域文化。针对世人将广西视为“瘴气之地”的情况，周去非在《岭外代答》中做了解释，他认为“瘴气病”类似于中原的伤寒病症，“其实似中州伤寒”，“盖天气郁蒸，阳多宣泄，冬不闭藏，草木水泉，皆禀恶气”。即周去非解释说，“瘴气病”的病因是气候湿热，环境中草木水源都含不良气体，使人身体免疫力下降，引发疾病。他还提出了针对性的治疗方法：“冷瘴以疟治，热瘴以伤寒治，哑瘴以失音伤寒治。”周去非的澄清，有利于人们克服将岭南视为“畏途”的恐惧心理，使时人对广西有更深入的了解，进而更愿意去认识广西。

著书成说，流传世间

张栻在《钦州学记》中说，作为钦州教授的周去非于淳熙四年（1177年）任满归乡，周去非从此告别在广西六年的仕宦生涯。周去非回乡后，他的亲朋好友得知他在广西任过职，常常询问他有关岭南的事情，为了应付络绎不绝的登门请求讲述岭南见闻的访客，周去非在《岭外代答》自序中说：“乃亲故相劳苦，问以绝域事，骤莫知所对者，盖数数然。至触事而谈，或能举其一二，事类多而臆得者浸广……应酬倦矣，有复问仆，用以代答。”可见，时人对岭南风物充满着好奇，而周去非在广西的见闻，足以成为时人的谈资。

但据学者研究，“代答亲故”只是周去非自谦的说辞，其在广西任职六年过程中所到之处早已处处留心，他在《岭外代答》自序中说“随事笔记，得四百余条”，所记之事皆为“疆场之事，经国之具，荒忽诞漫之俗，瑰诡谲怪之产”。这无疑是为他日著书立说准备素材。“异时训方氏其将有考于斯”，可见其著书目的是供时人与后世参考。

淳熙五年（1178年）《岭外代答》成书，全书共十卷，分为地理门、边帅门、外国门、兵丁门、风土门、法制门、财计门、器用门、服用门、食用门、香门、乐器门、宝货门、金石门、花木门、禽兽门、虫鱼门、古迹门、蛮俗门、志异门等共二十门。

《岭外代答》中有许多有价值的信息。边帅门、法制门、财计门等记述了宋代广西军事、政治、财政、商业、法制等方面的内容，部分内容附有统计数字，保留了许多正史中未记载的社会经济史料。外国门、香门、宝货门等兼及南洋诸国和大秦、大食、木兰皮诸国，反映了当时岭南地区与海外诸国的交通、贸易等情况。其中，边帅门概述岭南沿边各军事建置的渊源、演变和辖属，对宋朝有关岭南地区的管理制度有较为详细的记载，为后世学者研究宋代的羁縻制度提供了可靠的史料。

总之，《岭外代答》成书后迅速成为时人了解岭南的重要著作，其在历史地理学、生物学、民俗学、民族学等方面都有重要借鉴意义。清代《四库全书总目》评价此书“条分缕析，足补正史之缺”。

苏轼谪途中的广西印记

绍圣初……贬宁远军节度副使，惠州安置。居三年，泊然无所芥蒂，人无贤愚，皆得其欢心。又贬琼州别驾，居昌化……

徽宗立，移廉州，改舒州团练副使，徙永州……

——脱脱等《宋史》卷三百三十八《苏轼传》

苏轼（1037—1101年），字子瞻，眉州眉山（今四川眉山）人，号东坡居士，是北宋文学家、书画家，和黄庭坚、米芾（fú）、蔡襄并称“宋四家”。苏轼年幼时，他的父亲苏洵（xún）便游历四方，由他的母亲亲自教导他学习文化知识。苏轼自幼便在历史方面学有所得，能够从古人的得失成败中总结要领。

自幼对历史学习思维的培养，奠定了苏轼历史观、人生观的基础。洞悉历史，放大格局，这也造就了此后苏轼在面对坎坷时的顽强精神和不屈意志。苏轼成年时，已通读经史。大量的阅读使他文思泉涌，每天能够写出几千字的文章。对此，《宋史·苏轼传》记载：“比冠，博通经史，属文日数千言，好贾谊、陆贽书。”嘉祐二年（1057年），苏轼以成名作《刑赏忠厚之至论》考中进士，从此开启他的仕途生涯，先后在杭州、密州（今山东诸城）、徐州、湖州等地为官。因反对王安石变法，晚年被贬至海南为官时，曾在广西停留、生活过一段时间，在梧州、合浦等地留下了他的足迹。

颠簸之中在藤州与苏辙相遇

苏轼的仕宦生涯跌宕起伏。王安石推行变法，苏轼与弟弟苏辙对变法的某些做法不满而上疏宋神宗，后来他因“乌台诗案”受政治牵连，被贬至黄州。宋哲宗即位后，他出任兵部尚书、礼部尚书等职。元祐八年（1093年），以章惇为代表的新党再度执政，后苏轼以“讥刺先朝”罪名，被贬至惠州（今广东惠州）。绍圣四年（1097年），苏轼再次被贬至荒凉之地，授琼州别驾，昌化军安置（今海南儋州），其弟苏辙责授化州别驾，被贬到雷州（今广东雷州）。同年四月，苏轼携子苏过取道梧州赴儋州，至梧州时，得知苏辙尚在藤州（今广西藤县），苏轼与其子日夜兼程赶往藤州与弟弟苏辙相见。

苏轼画像

苏轼在赴藤州途中作诗送给苏辙，该诗写道：“九疑联绵属衡湘，苍梧独在天一方。孤城吹角烟树里，落月未落江苍茫。幽人拊枕坐叹息，我行忽至舜所藏。江边父老能说子，白须红颊如君长。莫嫌琼雷隔云海，圣恩尚许遥相望。平生学道真实意，岂与穷达俱存亡。天其以我为箕子，要使此意留要荒。他年谁作舆地志，海南万里真吾乡。”诗中，梧州偏僻的地理位置、冷清的傍晚景色和舜葬于苍梧的传说都被苏轼写得淋漓尽致，又以“莫嫌琼雷隔云海，圣恩尚许遥相望”一句安慰弟弟，虽然琼、雷二州“隔云海”，但兄弟二人仍能“遥相望”，体现了其在困境中仍能保持乐观的精神。苏轼被授琼州别驾，但不能过问公事，为此苏轼又以“天其以我

苏辙画像

为箕子，要使此意留要荒。他年谁作舆地志，海南万里真吾乡”鼓励苏辙，并以此自勉，希望他们能够像周武王时期的箕子一样，虽处逆境但仍勇往直前，能有所作为，承担起开拓荒地之责，保持读书人经世济用的初心。

后人为纪念苏轼南下路过梧州之事，将梧州附近的一座山命名为苏山，明代万历时期学者曹学佺在《广西名胜志》中记载：“苏山在城东南八里，大江之浒。相传宋苏轼被谪南行，泊舟于此山下，故名。”绍圣四年（1097年）五月上旬，苏轼在藤州赶上苏辙。陆游在《老学庵笔记》中记载兄弟俩在藤州吃面条的趣事：“东坡先生与黄门公（即苏辙）南迁，相遇于梧、藤间。道旁有鬻汤饼者，共买食之。粗恶不可食。黄门置箸而叹，东坡已尽之矣。徐谓黄门曰：‘九三郎，尔尚欲咀嚼耶？’大笑而起。秦少游闻之曰：‘此先生饮酒，但饮湿法已。’”可见，苏轼个性爽朗，虽身处被贬途中亦能苦中作乐。此后兄弟俩一路结伴而行，在容州（今广西容县）都峤山，苏轼遇到了年少时相识的邵彦肃，此时邵彦肃已在都峤山修道，后苏轼作《藤州江下夜起对月赠邵道士》一诗表达了对友人的思念。历经两月有余，苏轼和苏辙同到雷州后才相互告别，尔后渡海赴儋州。

归途廉州大雨，绝处逢生

元符三年（1100年），宋哲宗驾崩，宋徽宗即位，向太后临朝。政坛局势变动，旧党迁臣多被召回。《宋史》记载："徽宗立，移廉州。"元符三年（1100年）五月，苏轼获赦，被诏令移居廉州（今广西合浦）。在返回广西之际，苏轼写了《六月二十日夜渡海》一诗记述了其即将北归的内心世界，该诗云："参横斗转欲三更，苦雨终风也解晴。云散月明谁点缀？天容海色本澄清。空余鲁叟乘桴意，粗识轩辕奏乐声。九死南荒吾不恨，兹游奇绝冠平生。"苏轼在诗中将自己移居内地视为"参横斗转""云散月明"，并对自己被贬谪至"南荒"之地表现出了一种豁达的态度。此后，苏轼在雷州与弟子秦观告别之后奔赴廉州，此为苏轼第二次进入广西。

苏轼在其所撰《东坡志林》中记载了自己从雷州赴廉州途中的艰辛历程，苏轼说："余自海康适合浦，连日大雨，桥梁大坏，水无津涯。自兴廉村净行院下乘小舟至官寨。闻自此西皆涨水，无复桥船，或劝乘疍并海即白石。是日六月晦，无月，碇宿大海中。天水相接，星河满天，起坐四顾太息：'吾何数乘此险也！已济徐闻，复厄于此乎？'稚子过在旁鼾睡，呼不应。所撰《书》《易》《论语》皆以自随，而世未有别本。抚之而叹曰：'天未欲使从是也，吾辈必济。'已而果然。七月四日合浦记，时元符三年也。"

彼时，苏轼刚刚经历被贬至海南儋州"九死南荒"的人生劫难，此刻得以赦免，急迫地携幼子苏过离开儋州。苏轼从雷州到廉州途中，遭遇连日暴雨，桥梁因此遭到严重破坏。河水暴涨，水势浩大，既没有桥可以通过，又没有船可以乘坐，苏轼只能听从别人的劝告乘坐疍民渔船沿海而行，最后只能在暴雨中停宿大海，差点在海上葬身鱼腹。即使如此，苏轼依然没有感到绝望，他在危难之际还能淡定地欣赏“天水相接，星河满天”的海上美景，最后用“吾辈必济”表达出自己积极乐观的心态，最终于元符三年（1100年）七月四日到达廉州。

到达廉州后，苏轼并没有因归途遭遇水患而狼狈不堪，而是将目光聚焦到廉州的山水和物产。在廉州，苏轼品尝了当地的龙眼，并作《廉州龙眼质味殊绝可敌荔支》，该诗云：“龙眼与荔支，异出同父祖。端如甘与橘，未易相可否。异哉西海滨，琪树罗玄圃。累累似桃李，一一流膏乳。坐疑星陨空，又恐珠还浦。图经未尝说，玉食远莫数。独使皴皮生，弄色映雕俎。蛮荒非汝辱，幸免妃子污。”在这首诗中，苏轼高度赞扬了龙眼，庆幸这种水果并无书籍记载，鲜为人知，不似荔枝被杨玉环所爱，成为贡品而不为普通百姓所品尝。苏轼以此勉励自己，虽陷于低谷，但只要坚持不懈，终能实现自身的人生理想。

过藤州惜秦观之死，登堂作诗

苏轼在文学上有极深的造诣，《宋史》记载：“轼与弟辙，师父洵为文，既而得之于天。尝自谓：‘作文如行云流水，初无定质，但常行于所当行，止于所不可不止。’虽嬉笑怒骂之辞，皆可书而诵之。其体浑涵光芒，雄视百代，有文章以来，盖亦鲜矣。”鉴于苏轼深厚的文学造诣，当时很多著名人物都曾拜苏轼为师，其中黄庭坚、晁补之、秦观、张耒四人被称为“苏门四学士”。《宋史》记载：“一时文人如黄庭坚、晁补之、秦观、张耒、陈师道，举世未之识，轼待之如朋俦，未尝以师资自予也。”可见，苏轼虽然在文学上成就很高，但对待学生就像对待朋友一样，从不以老师的地位自居。苏轼认为秦观有屈原、宋玉之才。

作为苏轼的得意门生和知己的秦观也于元符三年（1100年）复命宣德郎，从雷州返回横州。当年八月十二日，秦观行至藤州，出游光华亭，却突然逝去，一代词宗就此陨落。对此，《宋史・秦观传》记载：“徽宗立，复宣传郎，放还。至藤州，出游光华亭，为客道梦中长短句，索水欲饮，水至，笑视之而卒。”彼时，苏轼历经两个月于七月初到达廉州，决定在廉州过完中秋节再北上。元符三年（1100年）八月二十九日，苏轼离开廉州继续北上；九月六日，苏轼到达郁林（今广西玉林），至白州（今广西博白）；九月十日至藤州时得到秦观病逝的消息。苏轼对于秦观的离世感到十分错愕，不愿相信。苏轼在《与欧阳晦夫・北归》中写道：“闻少游恶耗，两日为之食不下，然来卒说得灭裂，未足全信。”《宋史》记载：“观长于议论，文丽而思深。及死，轼闻之叹曰：‘少游不幸死道路，哀哉！世岂复有斯人乎！’”可见，苏轼对于秦观的才华极其赞赏，以“世岂复有斯人乎！”道出了对秦观猝然离世而感到万分惋惜的感情。

在藤州期间，曾为秦观主持丧事的知州徐畴是苏轼在杭州任通判时的部下，和苏轼亦是文友。徐畴告知苏轼秦观去世时的详情，还常邀苏轼父子游览东山浮金堂。浮金堂坐落于绣江之畔，在堂上能够将绣江景色尽收眼底。苏轼登堂观景后作诗《徐元用使君与其子端常邀仆与小儿过同游东山浮金堂戏作此诗》一首，在诗中写道："昔与徐使君，共赏钱塘春。爱此小天竺，时来中圣人。松如迁客老，酒似使君醇。系舟藤城下，弄月镡江滨。江月夜夜好，山云朝朝新。"苏轼在诗中盛赞浮金堂胜景像天竺一样可爱，云山风月如钱塘一样美丽。"江月夜夜好，山云朝朝新"亦可看出其历经磨难后仍然保持洒脱的心态。作为大文豪的苏轼两次经过藤州，并且在藤州留下诗词，使藤州成为后人追忆苏轼一生足迹不可或缺的地方，并成为后人了解宋代文化和人文精神的一个窗口。

大约在元符三年（1100年）九月中旬，苏轼再次抵达梧州，原计划与其子从梧州雇船从贺江北上至湖南永州，但其时已进入枯水期，贺江、漓江不通航运，因而只能绕道广州去永州，"水干无舟，遂作番禺之行"。至此，一代文豪苏轼携子离开了广西。建中靖国元年（1101年），苏轼卒于常州，年六十四岁。

苏轼在广西的时间虽然不长，但他在广西不少地方留下了足迹，今天的广西存有众多为其建造的纪念性建筑或以其命名的遗迹，如合浦的东坡亭、北流的景苏楼、藤县的访苏亭、梧州的苏山等，成为他留给广西的一笔宝贵精神财富。

黄庭坚：初开宜州文化第一人

徽宗即位……庭坚在河北与赵挺之有微隙，挺之执政，转运判官陈举承风旨，上其所作《荆南承天院记》，指为幸灾，复除名，羁管宜州。三年，徙永州，未闻命而卒，年六十一。

——脱脱等《宋史》卷四百四十四《文苑传六·黄庭坚传》

黄庭坚（1045—1105年），字鲁直，号山谷道人，晚年改号涪翁、八桂老人，世称黄山谷、黄太史、黄文节、豫章黄先生，籍贯洪州分宁（今江西修水）。他是北宋时期的著名文学家和书法家，被誉为江西诗派的“开山祖师”，与杜甫、陈师道和陈与义并称“一祖三宗”，与张耒、晁补之、秦观同为苏轼门下弟子，合称“苏门四学士”。黄庭坚生前与苏轼齐名，被誉为“苏黄”，与苏轼、米芾和蔡襄并称“宋四家”。黄庭坚一生充满了传奇与坎坷，他自号“八桂老人”，正是源于他在广西宜州的经历，这片充满山水灵气的土地，见证了黄庭坚晚年的坎坷与豁达。黄庭坚在宜州时大力发展文化教育事业，被宜州百姓尊称为“初开宜州文化第一人”。

从庙堂到岭南：黄庭坚结缘宜州

黄庭坚自幼聪颖好学，读书数遍就能背诵。北宋治平四年（1067年），时年二十二岁的黄庭坚以第三十名的资格考取进士后，出任汝州叶县（治今河南平顶山市叶县）县尉，开始了他的从政生涯。熙宁五年（1072年）正月，黄庭坚二十七岁时，参加了四京学官选拔考试，因文章优等，被授为“北京国子监教授”，直到神宗元丰三年（1080年）任满，黄庭坚在北京国子监度过了八年清闲的学官生涯。

离任国子监后，黄庭坚前往太和县（治今江西吉安市泰和县）任职，宋神宗元丰八年（1085年）黄庭坚为校书郎，后参与校定《资治通鉴》，主持编写《神宗实录》。哲宗元祐八年（1093年），黄庭坚进为秘书丞兼国史编修官。此后，黄庭坚虽从未身居要职，却多次受到北宋末年政治斗争的牵连。宋哲宗绍圣元年（1094年），以宰相章惇（dūn）、蔡卞（biàn）为代表的新党重新得势，旧党（以司马光、苏轼等为代表）遭到清算。黄庭坚因与苏轼关系密切，且曾参与编修《神宗实录》，被新党指控“诋毁先帝（神宗）政事”，以“修史失实”罪名贬谪。同年，黄庭坚被贬为涪州（今重庆市涪陵区）别驾从事史，安置在黔州（今重庆彭水）。

宋徽宗崇宁二年（1103年），蔡京专权，再次打击旧党，诏令销毁“三苏”（苏洵、苏轼、苏辙）、秦观、黄庭坚的文集，将司马光、苏轼、黄庭坚等三百零九人列为“元祐奸党”，刻碑全国（即“元祐党人碑”）。此后，旧敌赵挺之与蔡京并相，黄庭坚因旧党身份及其诗文中所谓“幸灾谤国”的指控，被削去官职，并贬至宜州（今广西河池市宜州区），由地方官监视。流放岭南是北宋对士大夫最严酷的惩罚——宋代贬官体系中，岭南因为“瘴气甚厉”而被视为“鬼门关”，而宜州更是“岭南极边”。对此，《宋史》记载：“庭坚在河北与赵挺之有微隙，挺之执政，转运判官陈举承风旨，上其所作《荆南承天院记》，指为幸灾，复除名，羁管宜州。”

崇宁二年（1103）十二月，黄庭坚时年五十八岁，携家十六口，从鄂州出发，过洞庭湖，顺湘江南下，经潭州（今湖南长

黄庭坚画像

沙)、衡州(今湖南衡阳)到达永州。黄庭坚原本计划将家眷安顿在桂林后,独自前往宜州,但家人坚持同去宜州。熟料永州酷热难耐,黄庭坚在永州与家眷拜别,只身继续南下,到达桂林。刚到桂林,黄庭坚就写了《到桂州》一诗:"桂岭环城如雁荡,平地苍玉忽嶒峨。李成不在郭熙死,奈此千峰百嶂何。"其在诗中充满了对桂林美景的赞美,感慨就算是李成和郭熙这样的北宋大画家健在,也无法画出桂林山水的美。

经过近五个月的长途跋涉,黄庭坚于崇宁三年(1104年)五月十八日抵达羁管地——宜州。此地地处岭南,气候湿热,"瘴气"弥漫,属当时广西最偏远的羁縻州之一,与黄庭坚熟悉的中原大地截然不同。从庙堂到岭南,黄庭坚的命运发生了戏剧性的转折。在这片土地上,黄庭坚开启了他生命的最后篇章。

逆境中的豁达:黄庭坚在宜州的生活

宜州在北宋时是个边远之地。黄庭坚又因陷入北宋党争而被流放宜州羁管，并被权相蔡京列为“元祐奸党”刻石公布于天下，作为“元祐党人”，黄庭坚的日子自然不好过。宋代文学家杨万里的记载，仅因为居所问题，许多人就因接济黄庭坚而受到连累。《杨万里集笺校》记载：“予闻山谷之始至宜州也，有氓某氏馆之，太守抵之罪；有浮屠某氏馆之，又抵之罪；有逆旅某氏馆之，又抵之罪。馆于戍楼，盖圄之也；卒于所馆，盖饥之寒之也。先生之贬，得罪于时宰也，亦得罪于太守乎？”即民房、寺院、旅馆等处的人都因租借房子给黄庭坚居住而受到牵连，黄庭坚因此只能租居城楼上一间狭小的阁楼房，秋暑方炽，生活艰苦。岂料，半年之后，在地方官府的逼迫下，黄庭坚被迫搬离宜州主城区，从简陋的小阁楼房搬到城南租赁的房子。

黄庭坚在城南租住的居所条件更加恶劣，他在《题自书卷后》中说：“崇宁三年十一月，余谪处宜州半岁矣。官司谓余不当居关城中，乃以是月甲戌抱被入宿于城南予所僦舍喧寂斋。虽上雨傍风，无有盖障，市声喧愦，人以为不堪其忧，余以为家本农耕，使不从进士，则田中庐舍如是，又可不堪其忧邪？既设卧榻，焚香而坐，与西邻屠牛之机相直。为资深书此卷，实用三钱买鸡毛笔书。”即其城南的居所屋顶漏雨，四处透风。然而，面对如此艰苦的环境，黄庭坚没有嗟叹、没有埋怨，反而将居所命名为“喧寂斋”，取意“闹中取静”。黄庭坚虽身居喧嚣闹市，甚至终日与屠牛作坊各种器具发出的声音相伴，却没有烦恼萦心，而能宁静致远，淡泊明志，在困境中仍然保持修养操守。正因为他有如此襟怀，才会在“上雨旁风，无有盖障”的陋室之中，处之泰然。其实，早在元祐年间，黄庭坚已与苏轼齐名，被称为“苏黄”，享誉天下，但他并未被虚名为累，在其身陷逆境，旁人为之惋惜同情，以为不堪其忧时，他却显露了豁达开阔的心怀，认为自己本是农家子弟，如果不是考中进士，居住的农舍条件亦不过如此。此外，即使身处困境，在面对前来求字之人时，黄庭坚依然能够气定神闲，蘸墨挥毫，书写诗卷。

初到宜州时，年老多病的黄庭坚曾经一度因揭不开锅而不得不借钱借米，道光《庆远府志》记载：“初，庭坚以崇宁元年至宜，僦居城西黎氏，尝手书帖贷钱米于人。”此后，随着与当地百姓交往的深入，黄庭坚的物质生活逐步得到改善，他经常收到各种馈赠，品类丰富。曾有学者根据《宜州乙酉家乘》统计，黄庭坚在宜州期间得到的馈赠物品有近六十种，包括酒、山药、人参、木瓜、芭蕉、粟米、鱼肉等食品和竹床、竹席、壮锦等各种生活用品。其中，宜州士人曾向黄庭坚赠酒十次，最多的一次有“十二壶”之多，记载黄庭坚与友人饮酒的次数十四次。

意境升华：黄庭坚在宜州的文化创作

宜州独特的自然与人文环境，促成了黄庭坚晚年创作的质变。黄庭坚在宜州期间的文化创作，无论是诗歌还是书法，都达到了一种前所未有的高度，展现出他在困境中对文学和艺术的极致追求和精神的升华。其在宜州的创作和文化活动主要有以下几个方面：

第一，作《乙酉家乘》，留下最后的人生履迹。从崇宁四年（1105）乙酉正月初一开始，黄庭坚开始将自己每天的主要活动记录下来，起名为《宜州乙酉家乘》。宜州，为贬谪之地；乙酉，是1105年干支的名称；家乘，意为私家笔记或记载家事的笔录。宋人陆游《老学庵笔记》记载："黄鲁直（即黄庭坚）有日记，谓之《家乘》，至宜州犹不辍书。"因此，《宜州乙酉家乘》就是黄庭坚1105年在宜州的日记。据学者研究，《宜州乙酉家乘》共记二百三十天，所记内容包括阴晴寒暑的天气，黄庭坚日常起居，与当地人的人情来往以及与亲朋的信札往来。宋人范寥在《宜州家乘序》中记载："围棋诵书，对榻夜语，举酒浩歌，跬步不相舍。凡宾客来，亲旧书信，晦明寒暑，出入起居，先生皆亲笔以记其事，名之曰《乙酉家乘》，而其字画特妙，尝谓余他日北归当以此奉遗。"这一日记不仅见证了黄庭坚在广西宜州的生活，更成为后世研究广西风土人情的珍贵史料。

第二，从贬谪之痛到艺术超越，山水诗词取得突破。黄庭坚在宜州期间，创作了大量的诗和词，据相关学者研究，黄庭坚在宜州创作的诗包括：《寄黄龙清老三首》《宜阳别元明觞字韵》《和范信中寓居崇宁遇雨二首》《乞钟乳于曾公衮》等；词分别是：《蓦山溪·至宜州作寄赠陈湘》《青玉案·至宜州次韵上酬七兄》《虞美人·宜州见梅作》等。这些作品不仅反映了他对宜州自然风光的热爱，更蕴含了他对人生的深刻感悟和对命运的持续抗争。

黄庭坚在宜州期间，曾登临会仙山，并创作了著名的《虞美人·宜州见梅作》。这首词以梅花为题，却超越了传统咏梅诗的比兴模式，将贬谪之痛化为对艺术的欣赏。词中写道："天涯也有江南信，梅破知春近。夜阑风细得香迟，不道晓来开遍向南枝。玉台弄粉花应妒，飘到眉心住。平生个里愿杯深。去国十年老尽少年心。"在这首词中，黄庭坚以"梅破知春"暗喻政治中的希望：尽管"去国十年老尽少年心"，但作者以梅花在寒冷中绽放，预示着对顽强生命力的钦佩和对美好未来的期待。这种悲愤与豪放，正是黄庭坚在宜州创作诗词的独特风格。

第三，书法巨制《范滂传》，以笔力透入砖石。黄庭坚是宋代著名的书法家，与苏轼、米芾、蔡襄并为"宋四家"。其书法作品《砥柱铭》曾在2010年拍出四亿多人民币，轰动一时。在宜州时，大书法家黄庭坚因自己身陷囹圄得到过宜州友人们的众多馈赠，友人们求字，黄庭坚都是有求必应，因此黄庭坚在宜州留下了许多书法作品。对此，他在《书自作草后》中说："余在江南，绝不为人作草，今来宜州，求者无不可。"

在这些书法作品中，最为著名的则是黄庭坚为宜州通判余若著所书的《范滂传》。黄庭坚初到宜州时，举目无亲，加之是被贬至此地，当地老百姓、官员俱不与之来往。而宜州通判余若著却敬佩黄庭坚，认为他像汉代受党锢之祸的范滂等贤臣，因而热情地为黄庭坚安排住所，还让两个儿子跟随黄庭坚学习，暗地里以弟子礼节侍奉黄庭坚。有一天，余若著带着纸向黄庭坚求字，黄庭坚将《后汉书》中的《范滂传》通篇默诵书写赠予余若著。

范滂是东汉末年的名士，以清廉正直著称，富有节气，因受党锢之祸，慷慨赴死以图平息灾祸。黄庭坚亦因元祐党祸被贬至宜州，与范滂何其相似！黄庭坚书写《范滂传》以此彰显自身的节气，表达他对正义的追求和对命运的抗争，他以独特的笔法，将内心的痛苦和对生活的热爱融入书法作品中，让我们看到了他的坚韧与淡定、洒脱与狂放。

跨越千年的文化基因：黄庭坚在广西的影响

崇宁四年（1105年）九月，黄庭坚在宜州生活近十七个月后病逝于宜州戍楼，他的生命终结于这片土地，他留下的文化基因在这片土地上生根发芽，影响深远。

黄庭坚在广西宜州的短暂生活，为这片土地留下了丰富的文化遗产。宜州现存的山谷祠、衣冠冢、龙溪书院等遗迹，都是黄庭坚在宜州生活的“见证者”。南宋淳熙四年（1177年），宜州太守韩璧在城外建山谷祠，并建造亭阁一座，名叫“清风阁”；嘉定八年（1215年），宜州知州张自明在黄庭坚曾经居住的黎家旧址重建山谷祠，祠后建有龙溪书院和亭阁。此后，明清两代均重修山谷祠，清代嘉庆时期广西巡抚谢启昆在山谷祠后重修黄山谷衣冠墓一座。1985年秋，时宜州市人民政府重建

广西宜州山谷祠

山谷祠，并重修黄山谷衣冠墓。这些文化景观的塑造，使得黄庭坚更成为宜州文化的重要象征。

黄庭坚作为“初开宜州文化第一人”，他促进了中原文化与岭南文化的交融，这种交融不仅体现在文学创作上，更体现在各民族文化的交流与互动中。自宋代至明清，宜州地区在科举考试中考取举人者有250余人，考取进士者有40余人，这无疑与龙溪书院的兴盛存在莫大的关系。2000年，为纪念黄庭坚对宜州文化教育事业的贡献，经河池市教育局批准成立了宜州山谷高中，旨在传承勤奋博学、求实创新、正直为民的精神。2003年，经教育部批准，宜州民族师范学校与河池师范高等专科学校合并为河池学院，河池学院校址即在当时作为县级市的宜州市，一个县级市拥有一所本科高等院校，这在全国都是少见的，想必其中跟山谷先生与宜州结下的历史渊源有着莫大的关系。

萧注经略广西

入觐，神宗问攻取之策，对曰："昔者臣有是言，是时溪洞之兵，一可当十；器甲坚利，亲信之人皆可指呼而使。今两者不如昔，交人生聚教训十五年矣，谓之'兵不满万'，妄也。"既至桂，种酋皆来谒。注延访山川曲折，老幼安否，均得其欢心，故李乾德动息必知之。然有献征南策者，辄不听。会沈起以平蛮自任，帝使代注而罢，注归，卒于道，年六十一。诏优录其子，赙绢三百。

——脱脱等《宋史》卷三百三十四《萧注传》

萧注（1013—1073年），字岩夫，临江新喻（今江西新余）人。他胸怀大志，做事坦荡，尤其喜欢谈论军事。庆历六年（1046年）中进士，代理广州番禺县令。《宋史·萧注传》记载："磊落有大志，尤喜言兵。常言：'四方有事，吾将兵数万，鼓行其间，战必胜，攻必取，岂不快哉！'"

护城有功，擢升邕州

北宋皇祐四年（1052年），广源州土酋实施以战求附策略，攻陷邕州，沿邕江而下先后攻破沿江的九州，并包围了广州城，岭外一带骚动不安，朝廷为之震动。时任番禺县令的萧注率军参与了保卫广州城的军事行动，《宋史》记载：广源州土酋"围州数月，方舟数百攻城南，势危甚。注自围中出募海滨壮士，得二千人，乘大舶集上流，因飓风起，纵火焚贼舟，破其众"。此后，即广源州土酋率军于皇祐四年（1052）五月兵抵广州城下，聚集几百艘船进攻城南，形势危急。时任广州番禺县令萧注率军突围，并到沿海地区招募乡勇两千余人，最后采用火攻迫使广源州土酋率军撤退。广州百姓打开城门迎接援军，拿着牛酒、粮草相继慰劳官兵。萧注一战成名，韶州团练使蒋偕上奏萧注的功劳，萧注遂被提拔为礼宾副使、广南路驻泊都监。

广州之役失利，广源州土酋退据邕州，桂州知州余靖担心其引诱当地溪峒土酋共同反宋，提议萧注前往邕州说服当地土酋。萧注临危受命，对邕州溪峒土酋施行恩惠结以信义，劝说他们不要攻占邕州。彼时，朝廷大军由狄

狄青画像

青率领驻扎宾州（今广西宾阳），狄青召集将领开会，怀疑萧注趁机结交土酋顺势谋利，便想借机诛杀萧注，遂以宴会为名邀萧注前往。而萧注觉察情况不妙，以出游为托词，借故拒绝了狄青的邀请。迨至战事结束，狄青才听说萧注劝说邕州当地土酋不要攻占邕州之事，因而在皇祐四年（1052），擢升萧注担任邕州知州一职。对此，《宋史》记载："狄青师次宾州，召会诸将，疑注倚贼声势为奸利，欲诛之。注觉，托为游辞，不肯往。贼破，青始闻注前功，以知邕州。"

邕州主战，谏惕交趾

萧注在宋仁宗时期担任邕州知州长达八年，对溪峒事务及交趾动向颇为了解。自宋仁宗嘉祐年间至宋英宗治平年间，交

趾与宋廷的关系愈加紧张，边境纠纷不断。对于交趾，萧注有着清醒的认识。其一方面秘密整治军队，加强边疆防御力量；另一方面上奏朝廷，表达了自身的担忧。《宋史》记载：“居邕数年，阴以利啖广源群蛮，密缮兵甲，（萧注）乃上疏曰：‘交趾虽奉朝贡，实包祸心，常以蚕食王土为事。往天圣中，郑天益为转运使，尝责其擅赋云河洞。今云河乃落蛮数百里，盖年侵岁吞，驯致于是。臣已尽得其要领，周知其要害。今不取，异日必为中国忧。愿驰至京师，面陈方略。’”

萧注在奏折中表示，交趾虽然向宋朝朝贡，但却包藏蚕食宋朝领土的祸心。天圣年间，郑天益任广西转运使时，就曾斥责交趾擅自强征宋朝属地云河洞的赋税。在交趾蚕食下，其对云河洞数百里之地逐渐形成了实际占有的情况。景祐三年（1036年），交趾又进犯邕州的思陵州、西平州、石西州及诸洞，掠夺大量人口和牛马后，焚房毁屋而去。因此，萧注向朝廷主张对交趾用兵，以先发制人之势除掉隐患。

然而萧注还未来得及入觐报告，边境又受到交趾侵扰，嘉祐五年（1060年），甲洞土酋申绍泰进犯西平州，宋士尧等五名将领被杀，广西提点刑狱公事李师中遂对萧注发起弹劾。李师中和其他谏官认为萧注治理不严，招致寇乱，萧注因此被贬为荆南钤辖。李师中向来与萧注有嫌隙，曾举报萧注借威图利，调发各部落壮丁开采黄金却没有账簿可以查考。朝廷派出使者去查验，发现情况基本属实，萧注因此又被贬为泰州团练副使。彼时，淮南转运使为萧注说了好话，认为萧注此举是为了加强地方防务，召集了不少士兵，并在军营里教授士兵骑术、射术，确实立下了一些功劳，为此，宋廷又诏令萧注为镇南军节度副使。对此，《宋史》记载：“而甲洞申绍泰犯西平，五将被害。谏官论注不法致寇，罢为荆南钤辖、提点刑狱。李师中又劾其沮威嗜利……发洞丁采黄金无帐籍可考。中使按验颇有实，贬泰州团练副使。淮南转运使言：‘注椎牛屠狗，招集游士，部勒为兵，教之骑射，请徙大州以縻之。’诏改镇南军节度副使。”自此，萧注结束了八年邕州知州的仕宦生涯。

桂州主和，落寞罢官

宋英宗死后，宋神宗继位，宋神宗欲恢复“汉唐旧疆”，交趾亦属收复失地计划中的一部分。彼时，有舆论说交趾被占城国击败，国力衰微，军队只有几千人马，这是大宋征讨交趾的大好机会。为此，宋神宗征召曾经力主用兵交趾且与邕州溪峒关系密切的萧注出任桂州知州并兼任广西帅臣。萧注出任广西帅臣后，昔日的溪峒首领纷纷前来拜谒。对此，《宋史》记载：“（萧注）既至桂，种酋皆来谒。注延访山川曲折，老幼安否，均得其欢心，故李乾德动息必知之。”溪峒土酋将交趾的动态毫无保留地透露给萧注。对于当时有消息称交趾兵力不足万人，宋神宗向萧注询问真伪，以求攻取交趾。对此，萧注

軍馬辭云身本書生差長拊納不閑戰鬬懼無以集事
時有言交人挫於占城衆不滿萬可取也遂以注知桂
州入覲神宗問攻取之策對曰昔者臣有是言是時溪
洞之兵一可當十器甲堅利親信之人皆可指呼而使
今兩者不如昔交人生聚教訓十五年矣謂之兵不滿
萬妄也既至桂種酋皆來謁注延訪山川曲折老幼安
否均得其驩心故李乾德動息必知之然有獻征南策
者輒不聽會沈起以平蠻自任帝使代注而罷注歸卒
于道年六十一詔優錄其子賻絹三百注有膽氣嗜殺
而能相人自陝西還帝問注韓絳爲安撫使施設何如

《宋史》中关于萧注的记载

断言此为谣言，不可轻信。《宋史》记载："昔者臣有是言，是时溪洞之兵，一可当十；器甲坚利，亲信之人皆可指呼而使。今两者不如昔，交人生聚教训十五年矣，谓之'兵不满万'。妄也。"《续资治通鉴长编》记载："臣昔者意尝在此。方是时，溪洞之兵一可当十，器甲犀利，其亲信之人，皆可指手役使。

今兵甲无当时之备，腹心之人死亡大半，而交人生聚教训之又十五年矣。谓其众不满万，恐传者之妄也。”

由此可以看出彼时萧注的态度已由昔日知邕州时期的主战转向主和，萧注的理由是：往日溪峒的土兵战斗力强，听从号令，服从安排；时至今日，当年溪峒心腹死之大半，而交趾经过十几年的休养生息已经逐渐恢复元气，此消彼长，双方的情况不可同日而语。由此看出，萧注此时态度转变为主和是基于对事实的判断。

与萧注主和不同，另一派人如沈起、刘彝等为迎合宋神宗试图恢复“汉唐旧疆”的圣意而坚决主张对交趾用兵。沈起也因大力主张收复交趾而被宰相王安石赏识，取代萧注出任桂州知州，《宋史》记载：“会沈起以平蛮自任，帝使代注而罢，注归，卒于道，年六十一。”熙宁六年（1073年），萧注被罢广西帅臣一职，在北归途中去世，卒年六十岁。

沈起为准备对交趾用兵，在任上大量招募士兵，又在各溪峒实行保甲制度，加强对地方的控制。继任者刘彝对交趾的态度比沈起更为激进，他除加紧练兵之外，又断绝了边境与交趾的贸易，迅速恶化了双方关系。此后，宋朝与交趾之间的熙宁战争爆发，给广西百姓带来了深重灾难。对此，司马光在《涑水记闻》中记载：“熙宁中，朝廷遣沈起、刘彝相继知桂州，以图交趾。起、彝作战船，团结峒丁以为保甲，给阵图，使依此教战，诸峒骚然。”

由此观之，萧注为广西的边防建设贡献了自己的力量，数次平定地方动乱，为百姓安居乐业提供了保障；作为边疆官吏，能够洞察边境事务，并做出正确的判断，无奈意不合时，不为所用，最终抱憾而卒。

李师中：桂州李大夫

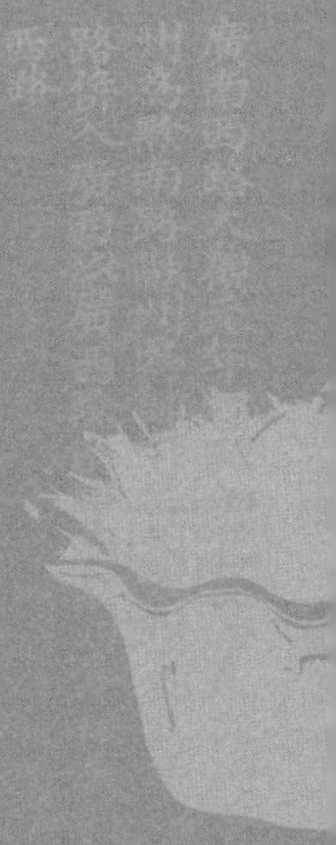

初，邕州萧注、宜州张师正谋启边衅，注欲以所管蛮峒酋豪往讨交趾，云不用朝廷兵食。诏下经略使萧固、转运使宋咸，二人为注所饵，合词称便，而师中至，诏以注奏付之。师中邀注来，难之曰：“君以酋豪伐交趾，能保必胜乎？”曰：“不能。”师中曰：“既不能保必胜，脱有败衄，奈何？”注知不可，遂罢议。

——脱脱等《宋史》卷三百三十二《李师中传》

李师中（1013—1078年），字诚之，楚丘（今山东曹县）人，天资聪颖。《宋史·李师中传》记载：“（李师中）年十五，上封事言时政。父纬为泾原都监，夏人十余万犯镇戎，纬帅兵出战，而帅司所遣别将郭志高逗遛不进，诸将以众寡不敌，不敢复出，纬坐责降。师中诣宰相辩父无罪，时吕夷简为相，诘问不屈，夷简怒，以为非布衣所宜言。对曰：‘师中所言，父事也。’由是知名。”李师中十五岁时便与宰相辩论其父李纬无罪，由此闻名。

重视农耕，修浚灵渠

北宋庆历二年（1042年）中进士后，李师中受庞籍举荐，任洛川知县一职。在洛川任上时，李师中关心百姓生计，重视农业生产，每到农忙时节，就将犯罪之人遣送回家，令其专注农事，待农闲时再返回官衙继续服刑。

北宋嘉祐三年（1058年），置都水监。后李师中以诸道提点刑狱兼领河渠事。到广西任职之后，李师中秉承其在洛川任上重视农业生产的理念，积极着手疏浚灵渠。灵渠沟通湘水、漓水，是贯穿岭南的重要水道，自秦朝史禄开凿以来，多有扩建和修缮，汉代伏波将军马援继而疏之，唐代观察使李渤为铧堤以固渠，作陡门以蓄水，而防御史鱼孟威复增修。

迨至北宋中期，灵渠又因泥沙、石块堆积，航道堵塞。由

西融州城外江水卽牂牁江之下流也江面頗闊昔嘗有大水泛出蜀南州牌漢武平南越發夜郎下牂牁非由融州則何自而至南越哉今靜江府桑江寨其水亦合于融江之上流或云桑江亦牂牁音之訛也大抵融州之西爲蜀之南地本接連但隔於蠻猺不可通耳

靈渠

湘水之源本北出湖南融江本南入廣西其間地勢最高者靜江府之興安縣也昔始皇帝南戍五嶺史祿於湘源上流灘水一派鑿渠踰興安而南注于融以便于

嶺外代答卷一　十　知不足齋叢書

運餉蓋北水南流北舟踰嶺可以爲難矣祿之鑿渠也於上流砂磧中壘石作鏵嘴銳其前逆分湘水爲兩依山築堤爲溜渠巧激十里而至平陸遂鑿渠遶山曲凡行六十里乃至融江而俱南今桂水名灕者言離湘之一派而來也曰湘曰灕往往行人於此銷魂自鏵嘴分水入渠循堤而行二里許有洩水灘苟無此灘則春水怒生勢能害堤而水不南以有灘殺水猛勢故堤不壞而渠得以溜湘餘水緩達于融可以爲巧矣渠水遶迤興安縣民田賴之深不數尺廣可二丈足泛千斛之舟

《岭外代答》中关于灵渠的记载

此，李师中担起了修浚灵渠的大任。李师中征调民夫一千四百余人，“燎石以攻，既导既辟”，为灵渠疏通河道，并将陡门增至三十六个，这也是灵渠河道陡门数量的历史最高纪录，最终耗时三十四天完成修浚灵渠的工程。《宋史》记载：“桂州灵渠故通漕，岁久石窒舟滞，师中即焚石，凿而通之。”所谓“燎石以攻”，即运用热胀冷缩原理，用火对岩石进行加热，迨至高温后，再以冷水泼向热石，急剧变化的温度促使岩石碎裂。

宋廷对李师中疏浚灵渠进行了褒奖。《全宋文》记载其褒辞云，“敕师中等：昔秦命御史监郡，史禄凿桂之灵渠，汉益浚之，以通漕岭西。然其道狭而流壅，其后卒以堙废。尔奉职于外，究兴利源，镌石疏流，役不留月，舟航之济，自公及私。都水上功，不忘嘉叹”。

灵渠疏通之后，不仅有效解决了水上交通问题，还为当地农田灌溉提供了稳定的水源保障。

拓荒边地，奏罢马军

北宋初年，两广地区登记在册的户口数十分稀少，是当时全国人口密度最低的地区。周去非在《岭外代答》中评价道：“（广西）人物稀少，事力微薄，一郡不当浙郡一县。”

李师中认为岭南多旷土，野生杂草茂盛，容易蓄“瘴毒”，于是募民开垦，新辟土地，由各县设置地籍，永不收税，并以种田及三十亩者为田官之长，可免科役。在这项优惠政策下，广西田地得以开辟，而“瘴毒”亦随之减少。但宋廷以李师中擅自免除税收而没有奏报为由，对其及转运判官、都官员外郎刘牧各罚铜二十斤。但李师中此举对广西开垦荒地、发展社会经济起到了积极作用，其做法也为后来在广西任职的官员提供了借鉴。《宋史》记载：“时边臣争务开边，夔、峡、岭南不毛之地，草创郡邑，调取于民，费出于县官，不可胜计。”宋理宗时期，《宋史》记载：“丁巳，李曾伯言：‘广西多荒田，民惧增赋不耕，乞许耕者复三年租，后两年减其租之半，守令劝垦辟多者赏之。’奏可。”可见，李师中募民开垦荒地之举，对广西经济发展与荒地开垦都有积极作用。

北宋时期，朝廷出于边地防务之需，在广西邕管（今广西南宁）设有五百常备马军，但广西并不产马，所需马匹都要从大理国购买。李师中发现，广西气候炎热，一到夏季，这些外来马匹难以适应广西炎热的气候，大多数马匹极易中暑而亡。同时，李师中认为广西多为山地丘陵，马匹难以发挥作用。为了维持这批马军，每年须花费大量资金用以购买马匹，实乃得不偿失。于是李师中上疏朝廷劝谏废除邕管马军，减轻了广西的财政负担。《宋史》对此记载："邕管有马军五百，马不能夏，多死。师中谓地皆险阻，无所事骑，奏罢之。"

弹劾萧注，威吓交趾

北宋仁宗时期，因朝廷式微，各藩属外邦对宋廷态度时顺时逆，彼时交趾不断在边境蚕食大宋领土。《续资治通鉴长编》记载："交趾每因瘴毒甚时，必声言入寇。师中先得其情，既而摄帅事，邕州果遣军校乘驿言交趾将入寇。"嘉祐四年(1059年)，交趾陈兵五千在边境耀武扬威，声言入寇邕州。宋廷诏广西经略安抚使萧固、转运使宋咸、提点刑狱公事李师中及邕州知州萧注一同处置之。邕州知州萧注想以所管溪峒土酋征讨交趾。萧固与宋咸为萧注所言打动，认为此举可行。李师中邀萧注共商此事，问他以溪峒土酋伐交趾是否能保必胜。萧注回答不敢保证，遂罢议。

李师中由此上奏朝廷，称邕州知州萧注想征讨交趾，而宜州知州张师正则想取安化军，此举恐令人闻之不安，奏请训诫萧注等不得生事。朝廷同意了李师中的建议。

嘉祐五年（1060年），甲洞土酋申绍泰进犯西平州，宋士尧等五名将领被杀，对于此事，起初台谏官只言萧注等在广西所为不法，李师中却对萧注发起弹劾。

李师中弹劾萧注在知邕州期间有三大罪。第一，萧注在邕州知州任上八年，有峒兵十万，却不能抚而用之，又与溪峒贸易，敛聚财物以失众心，以致将卒覆败。第二，借威谋利，掠夺当地阉人做家奴。第三，“擅发溪峒丁壮采黄金，无簿籍可钩考，为国生事”。《宋史》对此记载：“因劾注邀功生事，掊敛失众心，卒致将率败覆，按法当斩。于是注责泰州安置，并按固、咸，皆坐贬。”

宋仁宗再诏当年曾辅佐狄青的余靖为广南西路体量安抚使，令发荆湖兵讨之。余靖于嘉祐五年（1060年）十月抵达桂州，是年冬抵达邕州。在李师中辅佐下，余靖派人召交趾用事者前来，交趾知宋军到来，向宋廷请和。

嘉祐六年（1061年）四月初七，宋廷任命李师中为广南西路转运使，负责处置与交趾事宜。李师中摄广西帅府后，立即化解了来自交趾的敌情。彼时交趾耀兵于边，声言入寇。李师中却在家中宴客，饮酒自若，写了六副榜文，命人迅速贴在边境上，然后畅饮如初。民吏开始时惊恐欲躲避，见李师中镇静无事，民情就此安定。交趾见到榜文，便知道李师中了解其虚张声势的真相，遂不敢妄动，即日向宋廷贡方物。交趾使者至，李师中不见，而让将吏接待之，然后告知使臣当年宋士尧等五名将领被杀之事尚未治罪。申绍泰闻之大惧，弃巢穴而去。李师中通过此举威吓交趾，由此化解了来自交趾的敌情。

团结溪峒，民心所得

为保障边疆的安定，李师中除练兵备战外，在对待少数民族问题上，也是较为开明。在李师中到广西之前，广源州壮族首领不堪交趾压迫，曾多次请求内附，但宋廷并没有接受，由此导致其以战求附。此后，广源州土酋之子宗旦聚众于保火峒，其众无所属，在李师中出任广西经略安抚使前，将兵都曾伺机讨伐以讨奖赏，于是宗旦只能固守保火峒不出。待李师中摄广西帅府后即上言朝廷请求接纳宗旦所率溪峒地区归附。《宋史》记载："（嘉祐）七年（1062），宗旦父子请以所领雷火、计城诸峒属县官，愿得归乐州，永为王民。诏各迁一官，以宗旦知顺安州，仍赐耕牛、盐彩。"其后安平州及古万等峒争相效顺，李师中请宋廷纳之。此举对于缓和民族关系，稳定民心，巩固边防，维护疆域统一都有着积极意义。

李师中在广西为官四年，做了许多利民利国之事，广西民众感李师中之德，多画像立祠以纪念之，称李师中为李大夫，不敢直接称呼其名。《宋史》记载："师中檄谕祸福，立率其族以地降。边人化其德，多画像立祠以事，称为桂州李大夫，不敢名。"当朝名流范仲淹、杜衍、富弼，都认为他有王佐的才能。但他性格耿直，说话过激，因此不被人所容忍，故而遭到多次罢黜，其"王佐之才"，也始终得不到施展。李师中于元丰元年（1078年）在右司郎中任上去世，卒年六十五岁。

邕州知州苏缄守城记

四年，交趾谋入寇，以缄为皇城使知邕州。缄伺得实，以书抵知桂州沈起，起不以为意。及刘彝代起，缄致书于彝，请罢所行事。彝不听，反移文责缄沮议，令勿得辄言。八年，蛮遂入寇，众号八万，陷钦、廉，破邕四寨。缄闻其至，阅州兵得二千八百，召僚吏与郡人之材者，授以方略，勒部队，使分地自守。

——脱脱等《宋史》卷四百四十六《忠义传一·苏缄传》

苏缄（1016—1076年），字宣甫，泉州晋江（今福建晋江）人，北宋大臣，是北宋时期保卫邕州，抵抗交趾入侵的著名将领。

初入官场，仕途起伏

北宋宝元元年（1038年），苏缄考取进士，出任广州南海主簿，在任南海主簿期间曾当众怒仗目中无人的富商。《宋史·忠义传一·苏缄传》记载，当时在广州设置市舶司掌管诸藩贸易，每当商人到来，市舶司就会选派官吏查阅他们的财货，而那些商人大都是些豪族大姓，按习俗商人应该用客人的礼节来见主人。彼时，苏缄被选派前往，商人樊氏越礼登上台阶入席，苏缄当即责问并怒杖樊氏。樊氏将此事上诉到广州府，广州府欲召来苏缄责问，苏缄说："主簿虽然官阶低下，也是邑官；商人虽然富有，也是治下百姓。邑官杖打治下百姓，有何不可？"州府官员竟无言以对，就此作罢。另据《宋史》，苏缄调任阳武（今河南原阳）县尉，曾亲自率人追捕杀人越货的悍匪，并将其首级送到官府，以至于府尹贾昌朝吃惊地说道："有像你这样轻生的儒士吗？"在任阳武县尉期间，民众纷纷称赞他精明勇武，胆识高超，他也因此迁任秘书丞，复迁英州（今广东英德）知州。

在英州知州任上，苏缄因招募数千名士兵救援被广源州首领围困的广州有功而被宋仁宗擢升为供备库副使、广东都监，管押两路兵甲，并收到朝廷赏赐的朝衣和金带。此后，苏缄又因追击失利，而被贬为房州（今湖北房县）司马。后来，其陆续担任过著作佐郎、越州（今浙江绍兴）监税、廉州（今广西合浦）知州、潭州（今湖南长沙）都监、鼎州（今湖南常德）知州等职。总体来说，仁宗时期，其仕途有升有降。迨至宋神宗熙宁初，苏缄进如京使、广东钤辖。

宋交之争，暗流涌动

北宋熙宁四年（1071年），宋廷与交趾边境冲突频发，交趾预谋入侵广西。宋神宗赐苏缄为皇城使，知邕州。苏缄入邕州后，在侦察边关敌情的过程中，认为近两任广西帅臣沈起、刘彝对交趾的策略均有错误。在他看来，沈、刘二人图谋升官，向朝廷过度贬低交趾兵力，认为此时交趾势弱，可趁此机会收复失地。实际上，交趾自李朝建立以来，已日益壮大，在攻占占城之后，其实力与野心迅速膨胀。自太平兴国五年（980年），宋太宗派遣大军征讨交趾失利后，交趾即对宋廷阳奉阴违，表面上向宋廷朝贡，暗地里却在不断蚕食边境。此时宋廷困于西夏、辽国，无力顾及交趾。在此危急时刻，邕州知州苏缄先后写信给沈起、刘彝说明形势，但二人无动于衷。对此，《宋史》记载："四年，交趾谋入寇，以缄为皇城使知邕州。缄伺得实，以书抵知桂州沈起，起不以为意。及刘彝代起，缄致书于彝，请罢所行事。彝不听，反移文责缄沮议，令勿得辄言。”宋廷知情后，调走沈起，又命刘彝不得禁止正常的边境贸易。宋廷虽然知晓交趾欲犯边事，但此时可谓心有余而力不足，已无太多兵力可以南下，只得命令当地固守城池，不得先起边衅。

苏缄对交趾的形势看得非常清楚，也在时刻提防之中。在他任知邕州的第五年，即熙宁八年（1075年）四月，交趾机榔县观察使刘纪率兵入侵邕州，被溪峒土酋、归化州首领侬智会击败。苏缄判断这只是交趾的先头部队，而此时宋廷北疆形势严峻，交趾自然不会放过此等机会。苏缄意识到，朝廷难以派兵南下支援，于是他就地募勇，积极联络各洞首领、酋长，起用洞丁、土丁，做好迎敌准备，誓与邕州共存亡。

熙宁八年（1075年）十一月，交趾调集大军再次侵犯宋廷南疆。交趾王李乾德命李常杰、宗亶领兵八万，水陆并进，欲进攻钦州、廉州、邕州。为师出有名，交趾列举了出兵宋朝的理由。《安南志略》记载：“路言所部叛入中国者，官吏庇匿诉于桂管，不报，故我帅兵追捕叛者。又言桂管点阅溪峒丁，言欲见代，又言中国作青苗、助役之法，穷困生民，我今出兵，欲相急救。”即交趾陈说进攻宋朝的理由有三：一是说宋朝官员藏匿交趾叛军，交趾此举要去追缉叛军；二是说桂州知州招兵买马，招募了很多溪峒壮勇，意欲侵犯交趾，交趾此举是“正当防卫”；三是说王安石变法所颁布的青苗法祸国殃民，损害了百姓利益，交趾要出兵“解救广西百姓”。此后，钦州、廉州相继被交趾攻陷，邕州被攻破四寨，边关百姓流离失所，纷纷涌入邕州。对此，《宋史》记载：“八年，蛮遂入寇，众号八万，陷钦、廉，破邕四寨。”

不畏外侵，招兵御敌

面对交趾大军入侵，苏缄一方面积极组织防御力量，《宋史》记载：“缄闻其至，阅州兵得二千八百，召僚吏与郡人之材者，授以方略，勒部队，使分地自守。”苏缄另一方面向广西经略安抚使刘彝请援，但援军迟迟未到。情况危急，苏缄把兵力按五个城门分为五部，每部编有数百名死士为先锋，并用西夏的“神臂弓”以御敌，沈括《梦溪笔谈》记载：神臂弓“以镫距地而张之，射三百步，能洞重扎，谓之‘神臂弓’，最为利器”。全城男女老少也都动员了起来，加入造箭、运输等工作。为示保卫邕城决心，苏缄将家属三十六人全部留在城内。苏缄长子苏子元任桂州司户一职，其时带着妻儿来邕州处理公事，办完差事之后本可携妻儿离开。苏缄却说，子元办完公事须回桂州复命，其可先行离开，但妻儿必须留在邕州。苏缄又把城内留存的兵械、钱粮纷纷发给百姓，呼吁邕城百姓共同守城。苏缄对百姓说：邕城现在武备充裕，存粮众多，大家只要齐心协力，等待援军即可，如有人动摇军心，则就地正法。苏缄以身作则，将全家留在邕州城内的举动令百姓十分佩服，也有力地鼓舞了军民士气。

没多久，交趾李常杰率水师由钦州、廉州出发，与宗亶所率陆军合围邕州，李常杰自认为八万大军可一举攻下邕城。此后数日，八万交趾兵把邕城围得水泄不通，架云梯强行登城，却数次被热油火箭击退，围城初期交趾兵损失惨重，束手无策。连攻二十几日，仍毫无进展，李常杰作为交趾虎将，曾击败占城、真腊，为交趾立下赫赫战功，今日以数万之众却难以攻破三千守军驻守的邕州城。

《重建南宁城隍庙碑记》

迨至次年正月，刘彝方面的援军不见到来，后来才知道，原来刘彝接到苏缄的信报之后拥兵不救，受多方谴责后，才派钤辖张守杰率军三千支援苏缄。张守杰驰援途中与交趾军相遇，张守杰阵亡，余部败降于交趾，张部的人善于攻城，交趾则利用张部降兵造了不少攻城器械。交趾军在得到张部降军的技术指导后，一边造云梯一边挖壕洞，又以牛皮遮蔽身体以强攻城池，都被苏缄一一击退。

御敌守城，满门忠烈

邕州被围四十多天后，邕州城内已是弹尽粮绝，疫病肆虐，但仍无一人叛逃。司马光《涑水记闻》记载："孤城抗贼，昼夜不得休息，矢石已尽，粮食又绝。"可见邕州城内军民已逐渐失去战斗力。李常杰、宗亶二人围攻邕州四十余天，亦伤亡惨重，以致横尸遍地无处攻城。李常杰见邕州久攻不下，无计可施，正计划撤军之际，张守杰部降将向李常杰献计。《宋史》记载："蛮计已穷，将引去，而知外援不至，或教贼囊土傅城者，顷刻高数丈，蚁附而登，城遂陷。"即将泥土在城外叠起，等到泥土与城墙差不多高时，便"蚁附而登"，顺势而上。就这样，邕州在八万交趾兵的围攻之下坚守了四十余天，在熙宁九年（1076年）正月被交趾攻陷。

城破之后，苏缄继续率士卒做殊死之战，邕州通判唐子正一部在州属一带与敌巷战，身负重伤而死。苏缄在乱军中大喊"吾义不死贼手"后带家人返回家中，以决绝的方式结束了生命。交趾兵找不到苏缄尸体，还以为他已经逃脱，急得四处追捕。《涑水记闻》记载："擒妇女弱小者七八万口。"交趾兵又屠杀了五万多名邕州百姓，并于正月二十三日焚毁邕州城。

朝廷获悉邕州被攻陷，才知大事不妙，匆忙调集精兵南下反击。熙宁九年（1076年），十二月先后把交趾逐出邕、钦、廉三地。于熙宁十年（1077年）二月收复广源州、苏茂州等失地，双方在边境一带继续交战，随后李朝遣使向宋朝纳款，这场历时一年多的战争终告结束。

战后，苏缄的壮烈举动震动朝野，宋神宗追封他为奉国军节度使，谥号“忠勇”，沈起、刘彝坐罪被贬。后来，邕州民众自发为苏缄修建祠堂，以此表达对苏缄的尊敬与爱戴，视其为保佑邕州的“城隍神”。

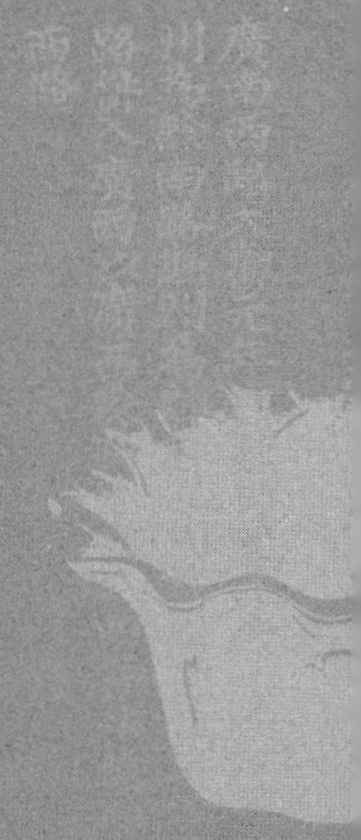

岳飞之子岳霖治理钦州

霖，朝散大夫、敷文阁待制，赠太中大夫。初，飞下狱，桧令亲党王会搜其家，得御札数箧，束之左藏南库，霖请于孝宗，还之。霖子珂，以淮西十五御札辩验汇次，凡出师应援之先后皆可考。

——脱脱等《宋史》卷三百六十五《岳飞传》

岳霖，淳熙三年知钦州。交趾遣人入贡，使臣肆毁驿舍。霖封剑示其都监曰：“若不葺而行，当以军法相待。”交人畏服，营缮如故而后行。

——嘉靖《钦州志》卷八《名宦》

岳霖（1130—1192年），字及时，号商卿，相州汤阴（今河南安阳）人，为南宋抗金名将岳飞三子。岳飞被昭雪平反后，岳霖曾任钦州知州，政绩颇佳。

流放岭南，弃武从文

绍兴十一年十二月二十九日（1142年1月27日），岳飞在狱中被害，时年三十九岁，长子岳云受牵连亦被害。《宋史·岳飞传》记载，岳飞被害后，岳家财产被尽数抄没，岳霖兄弟几

岳霖像

人及母亲被流放岭南。这一年的岳霖年仅十二岁，岳霖的少年时光基本是在岭南度过的。岳霖一家在被流放期间风餐露宿、朝不保夕。然而善于迎合上意的官僚们并不满意朝廷对岳飞家属的处置方案。当时，福建的漳州知州上疏朝廷，建议取消对岳飞家属的粮米供应，将岳家“斩草除根”。南宋学者王明清在《玉照新志》中对此事评价：“士大夫为官爵所钓，用心至是，可谓狗彘不食其余矣！”

南宋隆兴元年（1163年），宋孝宗即位后即着手为岳飞昭雪，并给岳飞的后人补官授职。岳霖因此得以官复右承事郎，此时岳霖已三十三岁，该职为正九品文官，为荫补官职。岳霖虽非科举出身，但经过岭南数年的磨炼，亦能胜任此官职，之后又转至湖北、江西一带，多任文职。

淳熙二年（1175年），岳霖接替郑人杰出任钦州知州。岳霖任钦州知州期间，先后拓建学宫，聘请当时的大儒周去非出任钦州教授，并兴修水利，筑堤防洪，奖励生产，使钦州政通人和，百姓安居乐业。

不畏外辱，捍卫国威

彼时，邻国交趾曾派遣使节向南宋王朝进贡，商讨两国的贸易事务。交趾派出使节带着贡品从国内出发，启程前往南宋国都临安（今浙江杭州），途经钦州。交趾使团抵达钦州后，便入住驿站，岳霖对他们礼遇有加，但交趾使节接下来的举动，让所有人感到气愤。交趾使节先是抱怨饭菜不合胃口，要求驿站的后厨更换菜谱，重新做了一桌饭菜。吃完后，使节又嫌弃驿站的住宿条件简陋，坚决不肯下榻休息，众人只好重新收拾，更换驿站内的床褥桌椅。可即便如此，交趾使节仍不满意，竟然将桌椅板凳悉数拆毁，还将床褥扔到了街上，令钦州百姓们怒火中烧。

岳霖得知此事后，立即率领衙役将驿站包围，并对交趾使节说：驿站乃是朝廷财产，交趾使节肆意妄为，悉数破坏，该当何罪！此时的交趾使节被岳霖的气势所震慑，便不敢再嚣张，修复好毁坏的物品之后才离开钦州。对此，嘉靖《钦州志》记载："岳霖，淳熙三年知钦州。交趾遣人入贡，使臣肆毁驿舍。霖封剑示其都监曰：'若不葺而行，当以军法相待。'交人畏服，营缮如故而后行。"《舆地纪胜》中亦记载："淳熙四年，太守岳霖以交使入贡，常为译者所导，妄肆无礼。是岁交使到驿，拆毁驿舍。公封剑示其都监，若不葺而行，当以兵法相待！交人股栗，缮而后行。"

岳霖这种正直刚毅的态度，捍卫了南宋国威。

开拓边地，兴办教育

宋代岭南被视为烟瘴之地，常常被人视为"畏途"。钦州更是处于极边之地，交通不便，自古远离中原文化圈，所以诸如“诗礼传家”和“学而优则仕”意识，在当地较为淡薄。

岳霖出任钦州知州后，拓建学宫，大力发展儒学，推行教化。嘉靖《钦州志》对此记载：“儒学旧在城南门外，宋治平元年移建城东门外。崇宁三年建三舍，以期狭隘，徙于州南。淳熙四年，知州安阳岳霖拓而重建。”岳霖在钦州原有学宫的基础上，拓建学宫。对此，南宋理学大家、时任广西经略安抚使的张栻在其所撰《张栻集》中收录的其为钦州州学所撰的《钦州学记》中说：“安阳岳侯霖为钦州之（知）明年，政通人和，乃经理其州之学，悉易故之庳陋，庙堂斋庑次第一新。”岳霖扩建州学的目的是发展教育，提高钦州地区的文化水平，为钦州培养人才，《钦州学记》对此记载：“夫所为建学者，固欲其士之众多也。”

岳霖想通过大力推行儒学教育，达到培养人才、教化钦州百姓、改变社会风气的目的。《钦州学记》记载：“夫寡国鲜士亦何病，十室之邑必有忠信之质者焉，其成就与否，则系乎学与不学而已。学也者，所以成才而善俗也。今钦虽僻而陋也，其士虽鲜也，然其间亦岂无忠信之质者乎？无以揭之，曷其昭之？无以导之，曷其通之？为之严学宫于此，详其训迪，以夫人伦之教，圣贤之言行，熏濡之以渐，由耳目以入其心志，其质之美者能不有所感发乎？有所感发，则将去利就义，以求夫为学之方，而又以训其子弟，率其朋友，则多士之风岂不庶几矣乎！”

在拓建州学的同时，岳霖还十分诚挚地向当时的大儒、在静江府任职期满并准备离开广西的周去非发出了邀请，希望周去非能复返钦州出任教授一职。岳霖的邀请情真意切，《钦州学记》对此记载：“又明年，其学之教授周去非秩满道桂，复以侯意来请，且曰：‘钦之为邦，僻在海隅，地近盐而俗尚利，缝掖之士盖鲜有焉。惟侯不敢以其陋而鲜加忽也，故新其学以劝之，且求一言以示后，庶或有起也。’”周去非被岳霖的真诚打动，答应了岳霖的请求，这也是周去非第二次出任钦州教授一职。

岳霖在钦州拓建州学，邀请著名学者兴办教育的举动得到了张栻的高度评价，张栻在《钦州学记》中说：“异时人材成就，风俗淳美，其必由今日之举。”在岳霖的努力下，钦州学风蔚然，诗礼初见成效，社会风气焕然一新。淳熙四年（1177年），岳霖被召回朝廷，在钦州约三年的任期内，岳霖经略钦州用力甚多，大力兴办教育，受到了钦州百姓的爱戴。此后数百年，钦州“名宦祠”中一直供奉着岳霖的牌位，以此表达钦州百姓对岳霖功绩的认可。

赐还御札，书史留名

淳熙五年（1178年），宋孝宗召见时任钦州知州的岳霖，《金佗粹编》对此记载：“淳熙五年五月五日，臣霖以知钦州召见，赐对便殿，上宣谕曰：‘卿家纪律、用兵之法，张、韩远不及。卿家冤枉，朕悉知之，天下共知其冤。’臣霖对曰：‘仰蒙圣察，抚念故家，臣不胜感激。’”岳霖遂上疏请求归还宋高宗时岳飞的御札、手诏，宋孝宗诏令左藏南库还之。《宋史》记载：“初，飞下狱，桧令亲党王会搜其家，得御札数箧，束之左藏南库，霖请于孝宗，还之。”

岳霖在离开钦州赶赴临安途中，途经灵山，即兴而发，赋诗《过灵山述怀》诉说心境，诗云：“折腰为米本忧贫，流落天南瘴海滨。千里云山空别恨，十年萍梗可伤神。拊膺但觉丹心壮，览镜那堪白发新。归去恩深知感激，只惭无德愧斯民。”前四句诉说了岳霖在岭南为官的艰辛和失意，“拊膺但觉丹心壮，览镜那堪白发新”则表达了岳霖虽经历挫折仍有为国家大干一番事业的“丹心”，“归去恩深知感激，只惭无德愧斯民”又表达了他对任职之地百姓的深深感激，认为此次北归有愧于当地百姓。全诗流露出岳霖对其身世不幸的幽怨和壮志未酬的感慨。

离开广西后，岳霖先后任太常卿、左司郎中和提举封椿库等官职，官至朝散大夫、敷文阁侍制、兵部侍郎、广东经略安抚使，赠太中大夫。岳霖与朱熹、张栻为友，在各方的帮助下，着手搜集岳飞遗文，修编成书。因其年老多病，尚未完稿即于绍熙三年（1192年）病逝，卒年六十二岁。其子岳珂当时年方十岁，成年后不负其父嘱托，继续收集有关岳飞、岳霖等先辈的史料，终于编成《金佗粹编》《金佗续编》

两部著作。

岳霖在任钦州知州期间，以政治威严捍卫边疆安全、以文教融合凝聚族群共识，将边地族群深度嵌入中华文明脉络，构建了南宋边疆的治理范本。

马塈坚守静江孤城

咸淳中，塈知钦州，徙知邕。邕地接六诏、安南，傍通诸溪峒，抚御少失宜，往往召乱。塈镇抚诸蛮及治关隘，皆有条理，大理不敢越善阐，安南不敢入永平，诸峒皆上帐册，边陲晏然。广西经略李兴上其功，加阁门宣赞舍人。未几，以左武卫将军征入朝。已而宋亡，塈因留静江，总屯戍诸军，护经略司印守城。

——脱脱等《宋史》卷四百五十一《忠义传六·马塈传》

马塈（jì）（？—1277年），岷州宕昌（今甘肃岷县）人，南宋著名将领，生年不详，在静江府抗击元军，亡于景炎二年（1277年）。马塈的父亲、叔父、兄弟都是南宋有名的忠义将领，其中又以马塈和他的兄长马堃最为出名。

宋元之争，奉命护桂

南宋末年，吏治衰败，蒙古军发起了统一中国的伐宋战争。宋理宗时期，蒙古军就曾绕道西南地区，进驻交趾，想由此北上伐宋，此举使得本是战略后方的广西成为前线地带。南宋开庆元年（1259年），蒙古军队进攻横山寨（今广西田东），宋军不敌败退，蒙古军在此顺右江东进，掳掠各地城池，之后又北上欲夺静江府。当时驻守静江府的广西经略安抚使李曾伯成功守住了府城，未让蒙古军得逞，蒙古军只能顺江北上入湖南。

南宋咸淳年间，马塈奉命于危难之间，来到广西任职，先是任钦州知州，稳定边境动荡局势，之后改任邕州知州。彼时，两军正在长江一带激战，南宋政权危殆，都城临安尚且难保，而地处西南边地的邕州，南宋朝廷更是难以顾及。此时邕州亦是吏治废弛，流民四窜，匪盗群起，民不聊生。马塈此时出任邕州知州一职，无疑是临危受命，马塈通过自己的一套方法把邕州管理得井井有条，使大理国不敢轻举妄动，安南亦不敢越界作乱。马塈对边防的重视使得广西能够免于外敌的入侵。邕州治下各溪峒土酋也接受马塈管治，邕州的军事、治安环境相对于其上任前已大为改观。广西经略安抚使李兴向朝廷奏报马塈治邕功劳，马塈因此被升为管辖礼制的宣赞舍人，不久，又升为左武卫将军，专掌边区军事，并且奉诏入临安觐见。然而，彼时临安已被元军攻陷，南宋政权覆灭。此时，马塈正在静江府统帅屯戍各军，掌管广西帅府司印，防守静江城。对此，《宋史·忠义传六·马塈传》记载：马塈知邕州后，“塈镇抚诸蛮及治关隘，皆有条理，大理不敢越善阐，安南不敢入永平，诸峒皆上帐册，边陲晏然。广西经略李兴上其功，加阁门宣赞舍人。未几，以左武卫将军征入朝。已而宋亡，塈因留静江，总屯戍诸军，护经略司印守城”。

静江之役，背水一战

德祐二年（1276年）正月，元军抵临安城北，南宋陈宜中、张世杰等一众官员将领纷纷弃城南逃，次日，临安陷落。原本应召去往都城临安的马塈突闻都城陷落的噩耗，决定留守静江府。彼时，静江府周边的府县多已陷落，静江府已是四面楚歌。元军将领阿里海牙先是由鄂州南下，于至元十三年（1276年）攻破潭州，湖南诸府州守臣便纷纷降元，元军完全控制湖南，广西东北方向门户大开，形势极其危急。危急之

广西兴安古严关遗址

下，人心惶惶，自顾不暇，有的逃亡，有的投降。

马塈知道大势已去，但传统儒家所尊崇的忠义之心使他不能接受投降，决心誓死抵抗，护卫静江城。主意已定，马塈迅速调兵遣将，谋划布防，鼓舞士兵誓与元军决一死战。元至元十三年（1276年）九月，阿里海牙领兵数万进军广西，静江府是广西的“东北大门”，而严关（位于今桂林兴安县严关镇严关村）又是这一战略要地的重要关隘，元军要彻底控制广西，就必须首先攻下严关。十一月，元军抵达严关之前，马塈泰然自若，临危不惧。

马塈以三千部将与乡兵坚守严关，凿马坑、断岭道，积极修筑防御工事；同时又依仗广西多山的地形，使元军的骑兵难

广西桂林古南门遗址

以施展拳脚，元军数次发起猛烈进攻，都被马塈一一击退。阿里海牙无可奈何，眼见久攻不下，只能率军绕道先攻静江府南边的平乐，随后又率军调头北攻临桂，采取迂回夹击战术对严关发起进攻。三千兵力终究难敌数万之众，在夹击之下，严关失守，马塈不得已退守静江府城。《宋史》记载："大兵攻严关不克，乃以偏师入平乐，过临桂，夹攻塈。塈兵败，退保静江。"

宋理宗时期，为了防御蒙古军队，静江府地方官员曾大力扩建过城池，从宝祐六年（1258年）到咸淳八年（1272年），数任知府用了十四年时间接力修筑，修竣后的静江府城依山就势，垣壁坚厚。阿里海牙自恃兵马众多，攻静江府只是时间问题。但是元军久攻三月不下，双方激战百余次，守城军民誓与静江府共存亡。

阿里海牙围城三月久攻不下，于是改变强攻策略。阿里海牙先是命人在大阳江、小溶江上游筑坝以截断水流，又在城池东南挖沟排水，使护城河干涸；而后再遣主力佯攻西门，以精兵攻其东门。由此，静江城外城、内城相继被元军攻破。对此，《宋史》记载："平章阿里海牙攻广西，塈发所部及诸峒兵守静江，而自将三千人守严关，凿马坑，断岭道。大兵攻严关不克，乃以偏师入平乐，过临桂，夹攻塈。塈兵败，退保静江。平章使人招降，塈发弩射之。攻三月，塈夜不解甲，前后百余战，城中死伤相籍，讫无降意。城东隅稍卑，大军阳攻西门，以精兵夜决水闸，攻东门，破其外城。塈闭内城城守，又破之。"

巷道血战，壮烈殉节

静江城被元军攻破后，马塈亲率部将在城内与元军展开激烈的巷战，在一片混乱中，因手臂负伤被俘，誓死不屈而被元军斩首。即便首级被元军斩下，马塈身躯仍握紧双拳挺立。《宋史》记载："塈率死士巷战，刀伤臂被执，杀之断其首，犹握拳奋起，立逾时始仆。"邕州知州马成旺与其子都统马应麒选择投降元军，马塈部下黄文政、张虎突围失败被俘。《续资治通鉴》记载："塈家世以忠勇为名将，至塈，死节最烈。淮人黄文政，先戍蜀，军溃，走静江，塈邀与同守，城破，亦被执。文政大诟不屈，断其舌，以次劓、刖之，文政含胡吆咄，比死不绝声。”

马塈另一部将娄钤辖仍带领二百五十人坚守北门月城，阿里海牙认为娄钤辖已为瓮中之鳖，只待围城数日，城内粮草耗尽之后自然会投降。数日后，娄钤辖对元军称：“先送粮食过来，吃完我们就听你号令！”阿里海牙信以为真，便送了数头牛和稻米到城门口，士兵开门取粮之后又紧闭城门。当元军以为娄钤辖就要投降之时，城内却响起号角和军鼓声，娄钤辖集合全体将士，命令所有人挤到放满炸药的火炮周围，点燃火炮，顿时声如雷霆，城毁土崩，烟气涨天。火熄后阿里海牙进入城内视之，“灰烬无遗”，娄钤辖与二百五十名将士全部丧命，墙外的元军亦死伤惨重。对此，《宋史》记载：“静江破，邕守马成旺及其子都统应麒以城降，独塈部将娄钤辖犹以二百五十人守月城不下。阿里海牙笑曰：‘是何足攻。’围之十余日，娄从壁上呼曰：‘吾属饥，不能出降，苟赐之食，当听命。’乃遗之牛数头，米数斛。一部将开门取归，复闭壁。北军乘高视之，兵皆分米，炊未熟，生脔牛，啖立尽。鸣角伐鼓，诸将以为出战也，甲以待。娄乃令所部入拥一火炮然之，声如雷霆，震城土皆崩，烟气涨天外，兵多惊死者。火熄，入视之，灰烬无遗矣。”

静江府被攻破之后，阿里海牙对静江城实行了特殊的管理政策，以报复全体城民的反抗斗争。元军也趁势攻占了郁林

（今广西玉林）等州。对此，《宋史纪事本末》记载："阿里海牙尽坑其民，分兵取郁林、寻、蓉、藤、梧等州。广西提刑邓得遇闻静江破，朝服南望拜辞，投南流江而死。"

马塈率三千部将抵抗元军以誓死保卫静江府的事迹，充分体现了其宁死不屈的英雄气概。这场静江战役之中，马塈的部将娄钤辖、黄文政、张虎等人能有宁死不屈、拼死力战的气节，与主将马塈的影响是分不开的。这群人在生命的最后时刻，谱写了属于他们的英雄赞歌。

元朝刘麟瑞知其事迹之后，便尽力搜讨遗事。在其诗集《昭忠逸咏》里为马塈赋诗《广西经略马公（塈）》一首，诗云："赤白囊飞广海滨，关西劲勇是奇人。誓提节印期全璧，倏报烽烟又震邻。械坐已空身不化，龙韬未展气如神。鉴湖亦有云仍在，千载流风岂隐沦。"以此彰显马塈仗义死节的英雄事迹。

“广西”诞生记

大观元年，割融、柳、宜及平、允、从、庭、孚、观九州为黔南路，融州为帅府，宜州为望郡。三年，以黔南路并入广西，以广西黔南路为名。四年，依旧称广南西路。

——脱脱等《宋史》卷九十《地理志六·广南西路》

北宋大观元年（1107年），把广南西路分置为广南西路、黔南路。黔南路治融州（今广西融水），辖融州、柳州（今广西柳州）、宜州（今广西宜州）、平州（今广西三江）等，之后并置庭州（今广西金城江）、孚州（今广西环江）、观州（今广西南丹）；大观三年（1109年），广南西、黔南二路合并为广西黔南路；大观四年（1110年），依旧称为广南西路。

《宋史》中记载的宋朝所设“广南西路”，后被时人简称为“广西路”，是今日广西壮族自治区名称中“广西”的由来。然而据《宋史》所说“依旧称广南西路”可知，广南西路并不是大观四年（1110年）始设，那么“广西”之称何时出现，又如何发展而来的呢？大体而言，“广西”的出现，可将“广西”拆解分为“广”和“西”，其中经历了三个阶段的演变，即唐朝晚期“岭南道”分“岭南东道”“岭南西道”，北宋“岭南道”演变为“广南路”，再从“广南路”析出广南东路、广南西路。

秦汉唐初岭南一体化

“岭南”作为一个概念从古至今皆为世人所知，其中的“岭”指的是“南岭”，它是中国长江流域和珠江流域的分水岭，其位置在今天中国的广西壮族自治区、广东省、湖南省和江西省边境上，它是中国南部最大的山脉和重要的自然地理分界线。其中最为著名者即五岭，故而狭义的“南岭”也指五岭，自西向东依次为：越城岭、都庞岭、萌渚岭、骑田岭、大庾岭。

五岭以南即为岭南地区，其地北起五岭，南至于海，从东至西跨越大山和高原，形成了隔绝于岭北的半封闭式地形。岭南地区相对的封闭性地理环境严重阻隔了岭南地区与外界的交流。对于中原地区而言，岭南地区是相对而言的“蛮荒”之地、未知之区。

秦汉至唐初，今日广西和广东曾长期属于同一个行政区划之内。秦统一后，秦始皇派遣五十万大军，南征百越。在百越故地设置了南海郡、桂林郡、象郡，并称“岭南三郡”。整个岭南地区基本纳入秦朝“岭南三郡”辖地，而且为南海郡尉任嚣统一节制。秦末，南海郡龙川县令赵佗以南海郡为基础，“绝道聚兵自守”，割据岭南，于汉高祖三年（前204年）建立南越国，自称“南越武王”。南越国割据岭南，传承五代君主，国祚长达九十三年。

西汉元鼎六年（前111年），西汉以南越国相吕嘉叛乱为由，出兵灭南越国，将岭南地区纳入中央王朝的直接统治范围。汉朝在岭南地区恢复了中央集权垂直管理模式，设立了岭南九郡：南海郡、合浦郡、苍梧郡、郁林郡、珠崖郡、儋耳郡、交趾郡、九真郡、日南郡。

西汉元封五年（前106年），西汉在全国设十三刺史部，作为监察区，岭南地区则设置了交趾刺史部，治所在苍梧郡广信县（今广东封开、广西梧州一带）。东汉建安八年（203年）将交趾刺史部改为交州刺史部，建安十五年（210年）移治所于番禺（今广东广州），再迁至龙编（今越南河内）。刺史部之设原为监察区，但是随着其权力远超过所监察之郡，逐渐演变为高层政区。交州刺史部下辖苍梧、南海、郁林、合浦、交趾、九真、日南七郡，作为岭南地区的两广大部分同属交州刺史部。

唐朝延续隋朝旧制，在征服地区设置总管府。唐武德四年（621年）李靖讨平萧铣，安抚岭南后，在岭南设广州总管府。武德七年（624年），总管府改为都督府。贞观年间，精简地方行政层级，经过调整，岭南地区的行政单位大大缩减，岭南地区形成了广州、桂州、龚州、交州、崖州五府。贞观元年（627年）基于山川形便原则形成“天下十道”（关内、河南、河东、河北、山南、陇右、淮南、江南、剑南、岭南），岭南地区属岭南道。

晚唐岭南分东西

唐开元二十一年（733年），朝廷于边地及战略要地设置节度使、经略史，统摄军政大权。岭南地区在岭南道基础上设五府经略使，“绥靖夷僚，统经略、清海二军，桂管、容管、安南、邕管四经略使”，广州刺史领五府经略使，治广州，统兵一万五千余人。

咸通三年（862年），朝廷对于岭南道军政格局再次进行调整，颁布《分岭南为东西道敕》，将岭南道分为岭南东道和岭南西道，唐懿宗在敕令中表示："岭南分为五管，诚已多年。居常之时，同资御捍，有事之际，要别改张。邕州西接'南蛮'，深据黄洞，控两江之犷俗，居数道之游民。比以委人太轻，军威不振，境连内地，不并海南。宜分岭南为东西道节度、观察、处置等使，以广州为岭南东道，邕州为岭南西道，别择良吏，付以节旄。其所管八州，俗无耕桑，地极边远，近罹盗扰，尤甚凋残。将盛藩垣，宜添州县，宜割桂州管内龚州、象州，容州管内藤州、岩州，并隶岭南西道收管。"

可见唐后期将岭南道分为岭南东道和岭南西道的重点在于设立岭南西道，其目的是出于加强控制边疆地区的需要，岭南西道节度使驻邕州，兼领安南都护和原桂、容两管各二州，而桂、容两管大部分州县却隶属于岭南东道。岭南西道道治设于邕州，正是因为邕州毗邻左、右两江蛮峒，设镇于此，有利于就近控制地方。可见，设置岭南西道完全是为了满足建节镇边的军事需要。

岭南西道设置的政治意义重大。唐懿宗将岭南道分为岭南东道、岭南西道，这是岭南地区自秦汉以来在高级政区层面出现的第一次分野，虽然岭南西道所辖范围并未涵盖今广西全境，但这是广西第一次以独立的高级政区的名义出现在中国历史舞台上。

从广南路到广南东路、广南西路

北宋建立之初，宋太祖赵匡胤沿袭唐制，在全国所设的一级行政区也称作“道”，并在北宋开宝四年（971年）平南汉后，复置岭南道。此外，宋初还借鉴了唐朝设立转运使的做法，将原先临时性的转运使之职，变为固定职务。故在北宋统一岭南之初，岭南地区的转运使实际上是在唐岭南道的基础上设立的。

淳化四年（993年），北宋将岭南道改为广南道。为便于统治，淳化五年（994年），“道”被废除。如此，“路”正式成为宋代新的高级行政层级，岭南地区大部属广南路。

随着宋朝加强中央集权的需要，“路”一级高级政区也因时进行了调整。至道三年（997年），始定天下为十五路，并将广南路拆分为广南东路和广南西路。至此，岭南地区在高级政区层面经历了岭南道、广南道、广南路的变迁，并出现了第二次分野。

此后，广南西路在宋徽宗大观年间经历短暂调整，《宋史·地理志六·广南西路》记载，大观元年（1107年），割融、柳、宜及平、允、从、庭、孚、观九州为黔南路，融州为帅府，宜州为望郡。大观三年（1109年），以黔南路并入广西，以广西黔南路为名。大观四年（1110年），废黔南，依旧称广南西路。此后广南西路作为有宋一代的高级政区名称再未改变。

錄丙申立感生帝壇丁酉詔修哲宗史五月壬寅停僧
牒三年丁未彗出奎婁甲寅立詞學兼茂科丙辰詔以
彗見避殿減膳令侍從官直言指陳闕失戊午赦天下
壬戌改廣西黔南路爲廣南西路癸亥治廣西妄言拓
地罪追貶帥臣王祖道爲昭信軍節度副使甲子貶蔡
京爲太子少保丙寅余深罷六月庚午御殿復膳乙亥
以張商英爲尚書右僕射兼中書侍郎壬辰復向宗回
爲開府儀同三司漢東郡王乙未慮囚丙申薛昂罷秋
七月辛丑復罷方田戊申封子楞爲冀國公八月乙亥
以劉正夫爲中書侍郎侯蒙爲尚書左丞翰林學士承

《宋史》中关于广南西路的记载

北宋时，广南西路辖二十五个州，即桂、容、邕、融、象、昭、梧、藤、龚、浔、柳、贵、宜、宾、横、化、高、雷、钦、白、郁林、廉、琼、平、观；三个军监，即昌化、万安、朱崖。建炎南渡后，广南西路辖两个府，即静江、庆远；二十个州，即容、邕、象、融、昭、梧、藤、浔、贵、柳、宾、横、化、高、雷、钦、廉、贺、琼、郁林；三个军监，即南宁、万安、吉阳。

总而言之，北宋初年在借鉴唐制的基础上，在岭南地区复立岭南道。淳化四年（993年），将岭南道改为广南道。淳化五年（994年），废道改路，成为广南路。至道三年（997年），北宋在借鉴晚唐将岭南道一分为二的基础上，亦将广南路拆分为广南东路和广南西路。自此开始，宋代岭南在高级政区上再次实现分野，广南西路作为省级政区正式登上历史舞台，广南西路被时人简称为“广西路”，“广西”之名即源于此。作为独立的省级行政单位，广西在宋代迎来重大发展，在政治、经济、文化、民族交融等方面均取得显著突破，所以宋代广南西路的设立是广西历史上具有标志性意义的大事。

宋代广西的羁縻州县

邕州……羁縻州四十四，县五，洞十一。忠州、冻州、江州、万丞州、思陵州、左州、思诚州、谭州、渡州、龙州、七源州、思明州、西平州、上思州、禄州、石西州、思浪州、思同州、安平州、员州、广源州、勤州、南源州、西农州、万崖州、覆利州、温弄州及武黎县、罗阳、陀陵县、永康县、武盈洞、古甑洞、凭祥洞、鐏峒、卓峒、龙英洞、龙耸洞、徊洞、武德洞、古佛洞、八躭洞，并属左江道。

——脱脱等《宋史》卷九十《地理志六·广南西路》

《宋史·地理志六·广南西路》记载了宋代广南西路邕州境内左右江地区羁縻州县的设置情况。何为羁縻？为什么要设置羁縻州县，广西设羁縻州县的具体情况及其效果如何？

树其酋长，使自镇抚

羁縻制度是历代封建王朝对边远的民族地区所采取的一种民族政策。关于羁縻，《史记》说：“羁，马络头也；縻，牛蚓也。”东汉应劭所著《汉宫仪》说：“马云羁、牛云縻，言制四夷如牛马之受羁縻也。”此后，羁縻引申出束缚、控制之意，羁縻地区名义上隶属于中原王朝，但实际由部族首领自治。广西羁縻制度的萌芽阶段可追溯至秦汉时期。秦始皇统一岭南后，除设置南海、桂林、象三郡外，还在民族地区设有专门的“道”，立典客、典属国等官管理民族地区。汉代，除设“道”外，还设有“初郡”“边郡”。南北朝时期，则设置“左郡”“左县”或“俚郡”“僚郡”。这些机构大多通过任命当地少数民族首领，“以其故俗治”的方式来管理各部，据《后汉书》，东汉尚书令虞诩指出：“自古圣王不臣异俗，非德不能及，威不能加，知其兽心贪婪，难率以礼，是故羁縻而绥抚之，附则受而不逆，叛则弃而不追。”

唐代，羁縻制度正式形成和确立，彼时唐朝国力强盛，周边部族纷纷归附，各民族交往交流交融进一步加深。据《新唐书》，在周边各民族的治理上，“自太宗平突厥，西北诸蕃及蛮夷稍稍内属，即其部落列置州县。其大者为都督府，以其首领为都督、刺史，皆得世袭。虽贡赋版籍，多不上户部，然声教所暨，皆边州都督、都护所领，著于令式”。这表明唐代在民族地区设置羁縻州县的做法最终以法律的形式确立。

宋朝承袭唐朝的制度，在今广西西部地区设置了众多的羁縻州县，对羁縻州县的治理方式，《宋史》记载：“树其酋长，使自镇抚，始终蛮夷遇之。”

关于宋代广南西路为何在左右江溪峒地区设置羁縻州县，从《宋史》的相关记载中可以看出端倪。《宋史》记载：“桂林邕、宜接夷僚，置守戍。大率民婚嫁、丧葬、衣服多不合礼……山林茂密，多瘴毒，凡命官吏，优其秩奉。春、梅诸州，炎疠颇甚，许土人领任。景德中，令秋冬赴治，使职巡行，皆令避盛夏瘴雾之患。人病不呼医服药。儋、崖、万安三州，地狭户少，常以琼州牙校典治。安南数郡，土壤遐僻，但羁縻不绝而已。”可见，一方面，宋代广南西路在朝廷看来仍“多瘴毒”“炎疠颇甚”，被官员视为“畏途”。为此，宋代规定，到邕州、宜州、钦州等地任知州者，可准许报一子入官。《宋史》记载：“邕、宜、钦极边烟瘴知州，听奏子孙一人。凡因战阵物故及殁于王事，许官其子孙。”即便如此，汉族官员仍不愿前往任职，只能依赖当地土酋进行统治。另一方面，广南西路地区文化迥异，治理成本高，因而采用“树其酋长，使自镇抚”的方式无疑是较为理想的选择。

总而言之，在当时的社会历史条件下，中央王朝依赖当地土酋对广西进行控制和经营，也是维护国家统一的有效手段。

大者为州，小者为县：宋代广西羁縻州县的设置

宋代在广西设置了不少的羁縻州县，有的是沿袭，有的是新增。据《宋史》，宋代广西设置的羁縻州、羁縻县、羁縻峒、羁縻司等合计七十四处。但其他相关著作对广西羁縻州县的数量有不同的记载。如北宋太平兴国年间成书的《太平寰宇记》记载，北宋广西有羁縻州四十四个，北宋元丰年间成书的《元丰九域志》记载广西有五十七个羁縻州、五个羁縻县，南宋宝庆年间成书的《舆地纪胜》记载广西有一百二十八个羁縻州、羁縻县、羁縻峒，这些都与元代脱脱等人所修《宋史》不同，这说明各种版本的史籍对广西羁縻州县的记载都是不同的，很难统计出确切的数据。就实际情况来说，两宋时期中央王朝在今广西地区设置的羁縻州县，也是经常因时因势而变，并无定数，如宜州所属的思顺州、归化州于庆历间被拆解、调整，广源、武勒、南源、西农、万涯、覆和等州自元丰二年（1079年）宋放弃顺州后就归于交趾李朝。此外，羁縻州县的地位远不及正州，故而漏载的情况也是存在的。

宋代广西羁縻州县也有一些自身的特点。首先，宋代广西的羁縻州县，是按归附诸族的“种落”进行划分的，这与各正州按疆域、人口、税赋诸因素为原则进行划分是不同的。宋范成大《桂海虞衡志》记载：“自唐以来内附，分析其种落，大者为州，小者为县，又小者为洞。”其次，宋代广西羁縻州县的规模较小。一是所辖户口较稀少，多者几百户，少者几十户不等；二是州县治所较简陋，很多存在“州县并无廨署”的情况。最后，为了加强对羁縻州县的控制，宋代进一步完善了羁縻州县的设置制度，并增加了“寨”的设置，设“寨”以统之，羁縻州土官则“分隶诸寨，总隶于提举”。由此，中央王朝对羁縻州县的控制得以增强。

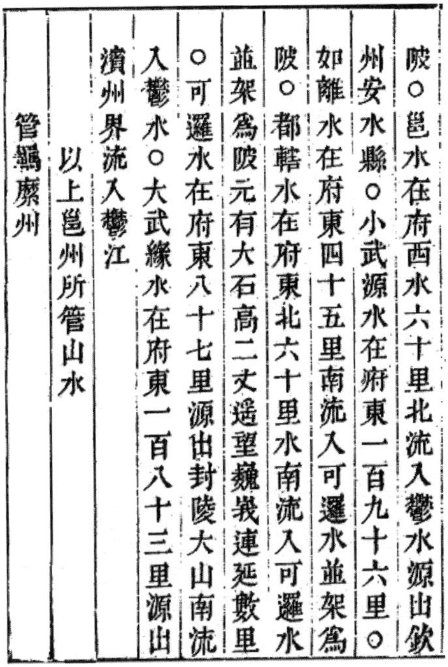
陂○邕水在府西水六十里北流入鬱水源出欽
州安水縣○小武源水在府東一百九十六里○
如離水在府東四十五里南流入可邏水並架爲
陂○都轄水在府東北六十里水南流入可邏水
並架爲陂元有大石高二丈遥望巍峩連延數里
○可邏水在府東八十七里源出封陵大山南流
入鬱水○大武緣水在府東一百八十三里源出
濱州界流入鬱江
以上邕州所管山水
管羈縻州

《宋史》中关于羁縻州县的记载

安边固疆：宋代广西羁縻州县设置的意义

“羁縻”一词本身含有牵制和联系之意，即在尊重和不改变原有政治实体内部结构的前提下，通过加强政治、经济和文化的联系，达到中央王朝对民族地区加强管理的目的，从而构建起中央王朝与民族地区较为稳定的政治关系，进而逐步促进统一多民族国家的形成和巩固。宋代在广西设置羁縻州县，采取“树其酋长，使自镇抚”的方式，在当时的社会历史条件下，中央王朝依赖当地土酋对广西进行控制和管理，无疑也是维护国家大一统的有效手段。相较于正州的管理方式，羁縻州县的管理方式虽存在不足，但在特定的历史条件下，仍有积极意义。

中央王朝在广西设立羁縻州县，使其统治得以深入边远地区。如今广西靖西、那坡、西林、田林等边远县市在唐时未设羁縻州县，迨至宋时便已设置归化、顺安等羁縻州。羁縻州县一般置于边疆，一些当地土酋主动归附，积极捍卫疆界，实际上也起到了守护西南边防的作用。

宋代广西羁縻州县的设置，促进了民族地区与内地社会的交往交流交融，形成了各民族共同开发、共同建设广西的局面。

藏在山水间的《元祐党籍碑》

（崇宁元年九月）己亥，籍元祐及元符末宰相文彦博等、侍从苏轼等、余官秦观等、内臣张士良等、武臣王献可等凡百有二十人，御书刻石端礼门。

——脱脱等《宋史》卷十九《徽宗纪一》

北宋徽宗时蔡京专权，崇宁元年（1102年）、崇宁二年（1103年）、崇宁三年（1104年），宋徽宗听信宰相蔡京的主张分别把元祐、元符间曾反对王安石变法的司马光、文彦博、苏辙、苏轼、黄庭坚、秦观等三百零九人列为“奸党”，将其姓名刻石颁布天下，并让各路州于监司长吏厅立石刊记，以示万世。此“御书刻石端礼门”的碑刻被后世称为《元祐党人碑》或《元祐党籍碑》。

崇宁五年（1106年），因群臣反对，且天上有星变异象，徽宗忌惮有不祥之兆，于是诏令全国毁碑。现存桂林桂海碑林龙隐岩的摩崖石刻《元祐党籍》，及柳州融水苗族自治县真仙岩的《元祐党籍碑》为南宋旧党人物子孙所重刻，是目前国内仅存最完整的碑刻。碑刻上众多著名人物曾因党争而被流放岭南，如黄庭坚被贬宜州、张庭坚被贬象州、范仲淹之孙范正平被贬象州等，苏轼、苏辙、秦观等名士亦在南迁途中在广西留下了深深的印迹，为我们了解宋代那段惊心动魄的历史留下了宝贵的史料。

广西宋代《元祐党籍碑》

广西现存《元祐党籍碑》有两处，均为溶洞上的摩崖石刻。一处是位于桂林市区七星公园内的龙隐岩摩崖石刻《元祐党籍》，该碑刻于南宋庆元四年（1198年），高一百九十二厘

广西桂林龙隐岩《元祐党籍》石刻

米，宽一百四十七厘米，正文行书，字径二十厘米。碑文分为三部分。第一部分为前言，为北宋徽宗时期权臣蔡京所述立碑之缘由，即将反对王安石变法的“元祐害政之臣”列为“奸党”，将其姓名刻石颁布天下，以达到“永为万世臣子之戒”的目的；第二部分刻录被列为“元祐奸党”者的姓名，共三百零九人，名单以北宋哲宗元祐年间废除王安石变法的宰相司马光为首，对党人的记录，分为曾任宰臣执政官、曾任待制以上官、余官、武臣、内臣等；第三部分为南宋时期在静江府为官的饶祖尧所作的跋，在跋中饶祖尧阐述了重刻此碑的背景和意义，饶祖尧在跋中说：“庆元戊午，备末掾桂林，始获识左丞梁公之曾孙府钤辖律，爱其有前辈风度，相与光昵，暇日从容，及籍中名氏，因谓欲刻诸石，便报传。”即庆元年间，饶祖尧至桂林出任静江府通判一职，结识了担任静江府钤辖的梁律，而梁律为“元祐党人”左丞梁公的曾孙，饶祖尧因“爱其有前辈风度”，遂大力支持梁律将家藏蔡京书党人碑拓本重刻于龙隐岩石壁，目的是通过重刻元祐党籍扬忠直之士，恨奸臣误国。跋中“左丞梁公”指的《元祐党籍碑》中的梁焘，其名字位列“曾任宰臣执政官”第九位。梁焘在北宋元祐七年（1092年）出任尚书左丞，居宰相名位，此时蔡京还是蜀州帅臣。当时梁焘认为元丰时的侍从可以任用的人有很多，只有蔡京轻薄险恶、贪心固执，不能任用。因而待蔡京掌权后，梁焘多次被贬，卒于化州，此后尽管梁焘已身故，但仍被列入党籍中。

另一处是梁律重刻党籍碑十三年之后由沈暐（wěi）于南宋嘉定四年（1211年）“以家藏碑本镣诸玉融之真仙岩”，即今广西柳州市融水苗族自治县真仙岩老君洞内。额题为《元祐党籍碑》，原碑已被损毁，幸存拓本藏于广西融水苗族自治县博物馆。全部正书。碑式分三截，据学者研究，上截与龙隐岩《元祐党籍》完全相同，中截两者有少许不同，下截则为沈暐所作跋文。沈暐为浙江吴兴人，嘉定四年（1211年）任融州知州，该碑为其融州任上所刻，其目的与梁律相同，即扬祖上之名在贤者之意。其曾祖沈千亦在党籍中，名列余官排位第六十三。关于沈千，《宋史》中无传，据沈暐所作跋文可知，沈千“后复官，终提举杭州集真观，赠正奉大夫”。

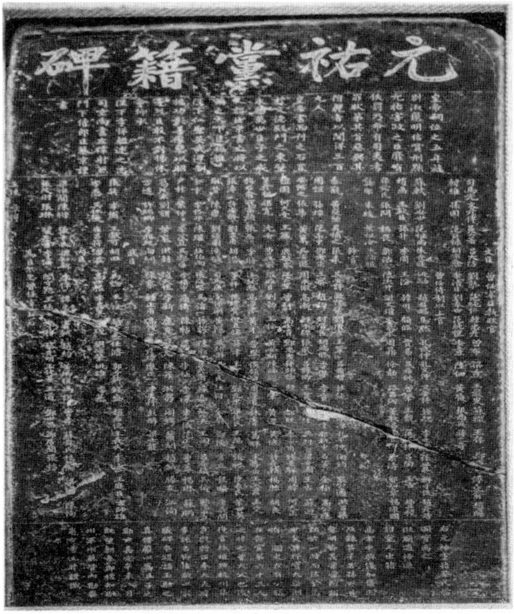

广西融水《元祐党籍碑》拓本

碑刻所现宋代惊心动魄的政治斗争

北宋熙宁二年（1069年），为革除时弊，神宗起用王安石变法，引起了司马光等人的强烈反对，两派斗争激烈。元丰八年（1085年）宋神宗去世，年仅八岁的哲宗继位，由宣仁太后同处分军国事务，同年司马光任宰相，全面废除王安石变法、恢复旧制。

彼时，支持变法的政治派别，被称为“元丰党人”，反对变法一派，则被称为“元祐党人”。北宋元祐八年（1093年），哲宗亲政，用章惇为相，再一次起用变法派人士，全面恢复变法新政，严酷打击“元祐党人”，前后历时六年有余。苏轼、苏辙、黄庭坚等人皆遭流贬。元符三年（1100年），宋哲宗去世。宋徽宗赵佶继位，向太后垂帘听政。其间，再次起用“元祐党人”，废除变法新政。

九个月后，向太后患病归政，宋徽宗正式执掌大权。崇宁元年（1102年），宋徽宗用蔡京为相，又重崇奉熙宁新政。同年九月，宋徽宗令中书省进呈元祐中反对新法及在元符中有过激言行的大臣姓名。蔡京以军臣执政官文彦博、吕公著、司马光、范纯仁、韩维、苏辙、范纯礼、陆佃等二十二人，待制以上官苏轼、范祖禹、晁补之、黄庭坚、程颐等四十八人，余官秦观等三十八人，内臣张士良等八人，武臣王献可等四人，共计一百二十人，分别定其罪状，称为“奸党”，并由徽宗亲自书写姓名，刻于石上，竖于端礼门外，称之“元祐党人碑”。不许“元祐党人”子孙留在京师，不许参加科考，而且碑上列名的人一律“永不录用”。后来，更增“元祐党人”为三百零九人，其中陆佃、章惇、曾布等为新党。蔡京手书姓名，发各州县，仿京师立碑“扬恶”。

《元祐党籍碑》是蔡京排除异己的产物，不管是新党，还是旧党，也不管是熙宁党人、元丰党人、元符党人，都被蔡京一网打尽，反映了北宋后期政治上派系的斗争激烈和政治黑暗。

《元祐党籍碑》的价值

随着北宋覆灭，蔡京倒台，入“党籍”之人再也不是“奸党”，而成为忠直之士，其本人及子孙受到完全不同的待遇，亦以名在“党籍”为荣。在桂林的《元祐党籍》是梁焘之曾孙、桂林府黔辖梁律与静江府通判饶祖尧于庆元四年（1198年）据蔡京书三百零九人碑拓本重刻于龙隐岩，意在为祖先申辩功过，明辨是非，使“元祐党人”名垂千古。在柳州融水的《元祐党籍碑》是时任融州知州沈暐在嘉定四年（1211年）所刻，其曾祖父沈千亦为“元祐党人”，其刻碑目的与梁律相同，都是为了扬祖上之名在贤者之意。

《元祐党籍碑》作为北宋党争历史的记述者，具有极其重要的史料价值，为研究宋史不可或缺的史料，南宋元明清典籍对党籍碑的引用或论述大都与位于广西的梁律、沈暐二刻有关。除有史料价值外，后世还逐步侧重石刻的书法价值。如明代著名旅行家徐霞客曾来到广西，在其著作《徐霞客游记》中就记述了有人来拓《元祐党籍碑》。在清朝亦有不少官员曾将融水真仙岩的《元祐党籍碑》拓片作为礼物送与同僚。

《元祐党籍碑》是蔡京所书。蔡京虽然在政治上排除异己，造成北宋政治黑暗，但在诗文、书画方面均有造诣。在蔡京生活的时代，在书法方面，无出其右者。著名书法家米芾把蔡京兄弟的书法放在第一、二位，自己排在第三位。后世对这两块

《元祐党籍碑》无数次拓印，充分反映了其书法价值。时过境迁，作为古代政治斗争产物的《元祐党籍碑》已经成为史迹，具有非常重要的史料价值和书法价值，是广西宝贵的文化遗产。

宋代文人笔下的桂林山水

桂林山水甲天下，玉碧罗青意可参。
士气未饶军气振，文场端似战场酣。
九关虎豹看劲敌，万里鹍鹏伫剧谈。
老眼摩挲顿增爽，诸君端是斗之南。

——南宋·王正功《嘉泰改元桂林大比与计偕者十有一人九月十六》

南宋庆元六年（1200年），王正功六十八岁高龄，到桂林任官。嘉泰元年（1201年），恰逢乡试之年。是年，广西学子中乡试者，共得举人十一名。王正功以地方官身份，在府中宴请中举的学子，勉励他们来年去京师参加会试、殿试，夺取功名。此七言律诗即是王正功在宴会中所作。从此，“桂林山水甲天下”便广为人知。

随着桂林政治、文化、经济地位的提高，宋代许多类似王正功这样的知名人士，如余靖、李师中、米芾、曾布、张孝祥、张栻、范成大、周去非、詹体仁、朱希颜、方信孺、李曾伯、胡颖等都曾在桂林担任过地方官，其中大部分担任过桂州知州或静江知府并兼任广西经略安抚使一职，只有米芾、周去非担任桂州属县县尉，朱希颜担任广南西路转运判官。上述除周去非、朱希颜外，《宋史》皆为之立传，他们共同参与建设和守御了桂林，并且结伴徜徉在桂林的山水之间，留下了许多描写桂林山水的诗歌，这些士人在桂林留下的印迹及他们的诗歌早已融入山水中，共同塑造了桂林山水“甲天下”的盛名。

桂林之山：天下第一奇

广西地形以山地丘陵为主，地貌以喀斯特地貌为主。广西地处亚热带季风气候区，降水丰富，河流众多，加上奇异俊秀的山峰，共同塑造了独特的山水风光。宋人王正功一句“桂林

广西桂林虞山

山水甲天下，玉碧罗青意可参”，令桂林山水闻名全国，在当时的宋人眼中，桂林之山可称得上天下第一。南宋名臣范成大在广西三年，曾在桂林担任静江知府兼任广西经略安抚使一职，在其著作《桂海虞衡志》中记载了他将桂林诸山与其他各地山的比较：“余尝评桂山之奇，宜为天下第一。士大夫落南者少，往往不知，而闻者亦不能信。余生东吴，而北抚幽蓟（jì），南宅交广，西使岷峨之下，三方皆走万里，所至无不登览。太行、常山、衡岳、庐阜，皆崇高雄厚，虽有诸峰之名，政尔魁然大山；峰云者，盖强名之。其最号奇秀，莫如池之九华、歙之黄山、括之仙都、温之雁荡、夔（kuí）之巫峡，此天下同珍之者，然皆数峰而止尔，又在荒绝僻远之濒，非几杖间可得。且所以能拔乎其萃者，必因重冈复岭之势，盘亘而起，其发也有自来。桂之千峰，皆旁无延缘，悉自平地崛然特立，玉笋瑶篸，森列无际，其怪且多如此，诚当为天下第一。”范成大把桂林之山与黄山、太行山、雁荡山等名山比较，认为桂林之山当为天下第一，评价如此之高，可见桂林山水的魅力之大。

瑰丽奇特的桂林岩洞

喀斯特地貌，是地下水与地表水对可溶性岩石溶蚀与沉淀以及重力崩塌、坍塌、堆积等作用形成的地貌。广西是喀斯特地貌的典型分布区，奇异的石山岩洞景观令人惊叹。南宋淳熙年间，在桂林任职广南西路转运判官的梁安世在其著作《乳床赋》中用生动的文字描述了他眼中瑰丽奇特的桂林岩洞。他在赋中说：“吴中以水为乡，岭南以石为州。厥惟桂林，岩空穴幽，玲珑嵯峨，磊落雕锼。欲縻绳而篝火，窘粮绝而道悠。石有脉其何来？泉春夏而渗流。积久而凝，附赘垂疣。或击斯钟，或振斯裘，或莲斯葩，或笋斯抽，或胡而龙，或脊而牛，或象之嗅，或鼋（yuán）之浮，或麟其角，或马其驺，或跃而鱼，或攀而猴，或粲金星，或罗珍羞，或肺而支，或臂而瘤，或釜之隆，或囊之投，或溜而塍，或迭而丘，或凿圭宝，或层岑楼，或贾犀贝，或农锄耰（yōu），或士冠缨，或兵兜簦（dēng），或下上而相续，或中阙而未周。稽本草之乳床，特精㮰之不侔。尔抑尝以岁而计之，十万年而盈寸；度寻丈之积累，岁合逾于千万。肇开辟而距今，邈春秋其几换，蜡屐之士，倏来亟散。讶泉乳之能坚，若朝菌之暮旦。孰知顽矿，天理密运。自立于岱，能言于晋。望夫而化，陨星而镇。生公谈妙而点头，初平叱羊而争进。凡如剑如佩，如绅如弁，如拱而侍，如坐而眄。既具人之形体，盖阅世而默见。”梁安世把桂林岩洞中的各种石钟乳、石笋、石幔比作自然界中的各种动物、植物或人，列举了三十多种物品，并做了惟妙惟肖的描写，充分生动地道出了桂林岩洞的瑰丽奇特，不仅叙写了岩洞钟乳石的千姿万态，还流露出自己对桂林山水的热爱之情。

妙融一体的桂林山水

广西水系，主要有桂江、黔江、右江、左江、郁江等。这些大河和千万条支流流经奇异俊秀的山峰，共同组成了广西山水。其中，桂林山水既有“处处山连水自通”的回环往复之势，又有南宋理学大家、时任静江知府兼任广西经略安抚使的张栻在《三先生祠碑》中所言的“山拔而水清”的良好生态景观。面对如此美丽的风景，北宋抗金名将李纲在南下取道桂林途中不禁赞叹：“道阳朔，山水尤奇绝，旧传为天下第一，非虚语也。”并赋绝句：“溪山此地蔼佳名，雨洗烟岚分外青。却恨

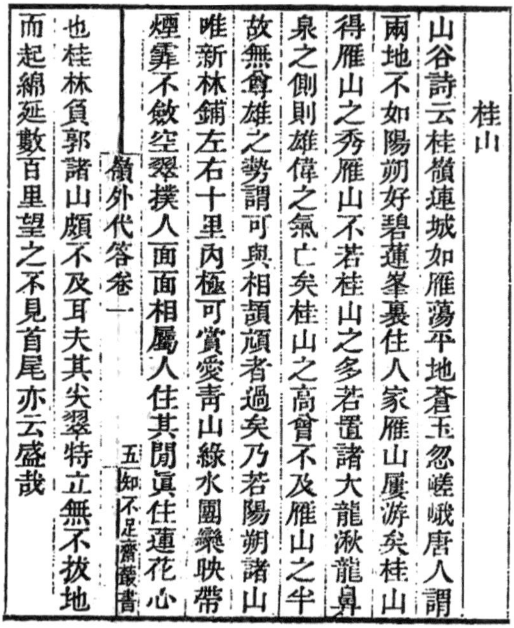
桂山

山谷詩云桂嶺連城如雁蕩平地蒼玉忽嵯峨唐人謂兩地不如陽朔好碧蓮峯裏住人家雁山屢游矣桂山得雁山之秀雁山不若桂山之多若置諸大龍湫龍鼻泉之側則雄偉之氣亡矣桂山之高曾不及雁山之半故無尊雄之勢謂可與相頡頏者過矣乃若陽朔諸山唯新林鋪左右十里內極可賞愛青山綠水團欒映帶煙霏不斂空翠撲人面面相屬人住其間眞住蓮花心也桂林負郭諸山頗不及耳夫其尖翠特立無不拔地而起綿延數百里望之不見首尾亦云盛哉

嶺外代答卷一　五　知不足齋藏書

《岭外代答》中关于桂林之山的记载

征鞍太匆遽，无因一上万云亭。”

曾在桂林任广西经略安抚使的李师中，在广西数年，写了许多体现其钟爱桂林龙隐岩的诗歌，其中的代表作《龙隐岩》写道：“春波饱微绿，斗柄涵虚明。方舟贯岩腹，鹅鹳相酬鸣。仰窥穹窿顶，宛转百怪呈。仅余鳞甲碎，不见头角狞。下闯清冷渊，演迤万顷澄。但同鱼鸟参，勿遣蛟龙惊。抉苔抚奇篆，倚棹看题名。三将标殊勋，自与山不倾。谁与赘小筑，政恐山灵嗔。南洞更幽绝，仙佛依峥嵘。太虚可为室，岂复资乐楹。乳泉助茗碗，中有冰雪清。何须骖鸾去，此即白玉京。鼎来不速客，抱琴忽逢迎。爱此无弦曲，岩溜同一声。为君洗尘耳，唤我诗魂醒。只恐白衣至，好句亡由成。”这首诗重点描写龙隐岩的怪异与幽美，令人流连忘返，并着眼于龙隐岩内部的神奇景色，认为龙隐岩就是“白玉京”，表现了诗人对龙隐岩的喜爱之情。

南宋名臣范成大在广西三年期间，实地考察和游览了桂林的山水，对桂林山水有独到的认识，写了大量描写桂林及周边景物的作品。如他在《六月十五日夜泛西湖风月温丽》中写道：“暮舣金龟潭，追随今夕凉。波纹挟月影，摇荡舞船窗。夜久四山高，松桂黯以苍。长烟界岩腹，浮空余剑铓（máng）。棹夫三弄笛，跳鱼翻素光。我亦醉梦惊，解缨濯沧浪。多情芙蕖风，袅袅吹鬓霜。会心有奇赏，天涯此何方？清润不立尘，空明满生香。过清难久留，俯迎堕渺茫。”诗中描写的西湖，不是杭州西湖，而是桂林西湖，在今桂林城西隐山与西山之间。诗中描写了范成大游览桂林西湖的见闻与感受，面对如此美景，他禁不住发问：此身何处？此处何方？范成大通过对情景的描写，表现了桂林西湖之美。

继范成大后出任静江知府并兼任广西经略安抚使的张栻，同样在桂林工作生活了三年多，他亦十分惊叹于桂林山水之美，留下了许多赞美桂林山水的佳作，如其中一首诗写道：

漓江即湘江，戢戢清见石。其东列群峰，秋色碧复碧。日出雾露收，草径上逼侧。凭栏揩望眼，已足慰畴昔。更窥岩穴胜，创见为惊咋。如何数里间，奇观相接迹。宽同厦屋深，划若巨灵擘。日月递光景，风云变朝夕。石桥几年成，乳窦时一滴。神龙旧隐处，仰视多辟易。蜕迹凛犹存，隐隐印霜脊。下有澄湫深，余波漱苍壁。往者已仙去，来者此其宅。薄晚扣松关，风过声索索。聊麾车骑退，容我且散策。却望訾家洲，轻舫度前碛。回首烟树林，已复挂蟾魄。宇旷净余滓，群物被光泽。何所寄遐思，空岩皎虚白。清辉可一规，水色相激射。天边与川上，亭亭如合璧。居然广寒游，不用假六翮。班坐依微澜，晤赏共佳客。因之想千载，讵有今古隔。箫鼓归夜阑，观者梁城陌。往往罗杯盘，班班见淆核。谅因年岁丰，人意少舒适。视尔意少舒，于阳亦忻怿。

漓江东岸是桂林风景名胜最集中的地方，张栻的这首诗描写的就是游览桂林漓江东岸诸岩洞的经过。诗人感叹“如何数里间，奇观相接迹”，先总览漓江东岸的山势，然后深入洞穴，一探究竟，进行实地考察。诗人以游踪为线索，将各种景点串联在一起，生动地表现了桂林山水之美。

总而言之，宋代到桂林为宦或旅行的文人不断增多，其中不乏知名人士，他们通过观察和感知写下了大量关于桂林山水的诗赋，这无疑展示了魅力无穷的桂林山水，使得桂林山水愈发知名，文化内涵更加丰富。

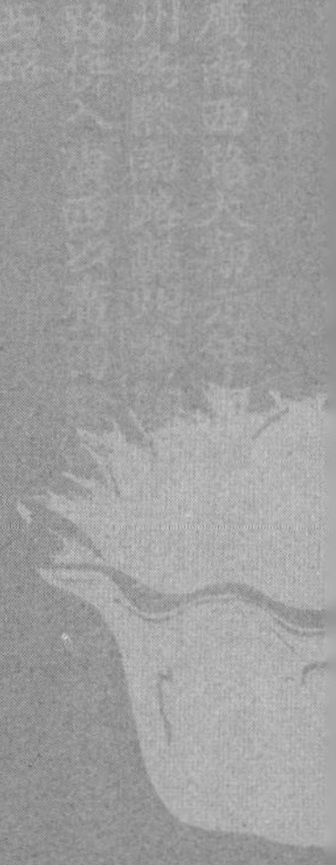

宋代广西的制瓷业

（开宝）四年，置市舶司于广州，后又于杭州、明州置司。凡大食、古逻、阇婆、占城、敎泥、麻逸、三佛齐诸蕃并通贸易。以金银、缗钱、铅锡、杂色帛、瓷器，市香药、犀象、珊瑚、琥珀、珠琲、镔铁、鼊皮、玳瑁、玛瑙、车渠、水精、蕃布、乌樠、苏木等物。

——脱脱等《宋史》卷一百八十六《食货志下八·互市舶法》

中国是瓷器的故乡，瓷器是中华文明的象征之一。汝窑、官窑、哥窑、钧窑和定窑并称为宋代五大名窑，中国瓷业在宋代迎来繁荣。北宋开宝四年（971年），中国与海外许多国家已有较大规模的贸易往来，瓷器也成为其中的大宗物品，销售规模大。而远在边疆的广西的制瓷业在宋代也得到极大发展，达到自身发展历史上的高峰。

宋代广西制瓷业

宋代广西相比中原地区落后，但广西制瓷业在融合中发展，在继承中创新，是中国制瓷业中不可或缺的一部分。广西古瓷窑在新中国成立后的历次考古调查中逐渐露出真容。目前发现的广西宋代瓷窑有四十余处，占广西发现古窑址总数的三分之二以上，由此可见，宋代在广西制瓷史上具有重要地位。广西宋代瓷窑在高速发展过程中形成了青瓷和青白瓷两大系统。桂北地区的湘江上游、漓江、洛清江及柳江、黔江等河流沿岸是青瓷窑分布带，形成广西青瓷窑系，代表性的瓷窑有兴安严关窑和永福窑田岭窑等。北流河沿岸是青白瓷窑分布带，形成广西青白瓷窑系，代表性的瓷窑有藤县中和窑、容县城关窑和北流岭垌窑等。这两条分布带上的瓷窑约占广西宋代瓷窑总数的五分之四。青瓷窑和青白瓷窑除聚集于分布带外，其余零星散布各地。

广西藤县中和窑址

广西青瓷窑系中的永福窑田岭窑是宋代民窑“版图扩张”活动的产物，在装饰工艺、纹饰内容及整体性的瓷文化风格等方面深受北方青瓷代表——耀州瓷的影响，但在窑炉结构和工艺特色等方面，两者存在一定的差异性。永福窑田岭窑始烧于北宋，盛于南宋，衰于元代。永福窑田岭窑所产瓷器以各式的碗、碟、盏、盘为主，也有执壶、瓜棱罐、檐口罐、鸟食罐、熏炉、灯、瓶、盆、钵、腰鼓、笔筒等。就装饰技艺种类而言，有印花、刻花等，其中又以印花为主，印花这种装饰技艺在永福瓷中占据主导地位。永福瓷的纹饰以植物为主，主要有各种缠枝或折枝的菊花、牡丹、莲花等，再就是动物类的双鱼和其他动物等，以及少数的水波纹。在制作工艺上，永福瓷有一个典型特色即铜红釉的成功烧造。铜红釉的成功烧造是永福瓷最具价值和意义的工艺。

广西青白瓷窑系中的藤县中和窑的印花器和印花模具很有特色，其席纹地、锦地、珍珠地缠枝花卉和海水婴戏、海水异兽纹，构图严谨，技法娴熟，线条流畅，具有浓郁的民间生活气息，为别处所少见，是不可多得的艺术精品。藤县中和窑“嘉熙二年”字款飞鸟缠枝莲印花模具、容县城关窑“元祐七年”款缠枝花卉纹印花模具、北流岑洞窑“绍兴二年”“绍兴十年”“乾道三年”等年款印花模具是广西宋代青白瓷窑中有明确纪年的遗物。这些遗物的发现，为这类瓷窑烧制年代的断定提供了可靠的依据。这类瓷窑的匣钵和瓷器上往往印刻有姓氏，以及“五”“七”“九”“十”“卅”等数字。

流传至今的广西瓷腰鼓

广西宋代规模较大的几个瓷窑，如藤县中和窑、容县城关窑、北流岭垌窑、永福窑田岭窑均生产瓷腰鼓。这种腰鼓细长，两端膨鼓成球形或半球形，长为一厘米，与今长鼓颇为相似。据载，腰鼓这种打击乐器是南北朝时传入中国的，又称为“羯鼓”。瓷腰鼓始见于隋，盛行于唐，传入中原后，

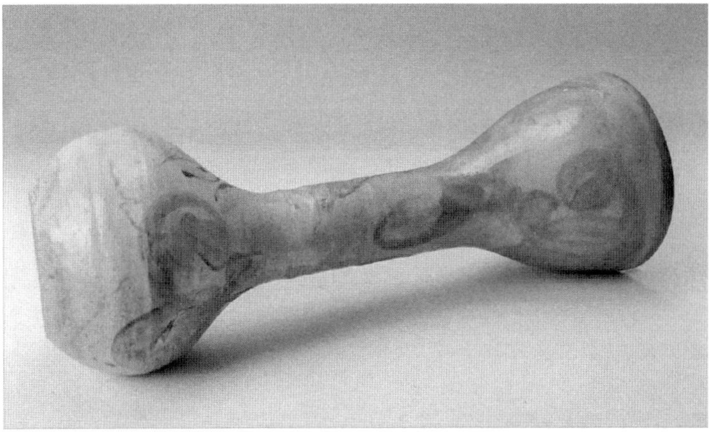

广西永福窑田岭窑青釉彩绘花腔腰鼓

为乐伎所喜用。唐代河南鲁山、禹县下白峪等窑都有生产瓷腰鼓。鲁山所产的蓝色斑彩烂熳被视为珍品。甘肃敦煌、山西云冈和白沙宋墓的壁画中都有使用瓷腰鼓的场景，说明宋时瓷腰鼓的使用相当流行。关于宋代广西瓷腰鼓，宋人范成大、周去非在其著作中均有记述。范成大在《桂海虞衡志》中载“花腔腰鼓出临桂职田乡，其土特宜鼓腔，村人专作窑烧之，油画红花纹以为饰”。周去非在《岭外代答》中做了进一步记述：“静江腰鼓最有声腔，出于临桂县职田乡，其土特宜，乡人作窑烧腔；鼓面铁圈出古县，其地产佳铁，铁工善锻，故圈劲而不褊。其皮以大羊之革，南多大羊，故多皮。或用蚺蛇皮鞔之。合乐之际，声响特远，一二面鼓，已若十面矣。”永福与临桂相邻，所产的瓷腰鼓亦以褐彩绘纹，与范成大所说的“油画红花纹以为饰”的“花腔腰鼓”或周去非所说的“静江腰鼓”都极为相似。藤县中和窑则盛产青白瓷腰鼓。容县城关窑除有青白瓷腰鼓外，还有褐釉白斑腰鼓，有的以褐彩绘纹。宋代广西瓷窑多烧造瓷腰鼓作为打击乐器，这种鼓除具有“最有声腔”“合乐之际，声响特远”的特性外，还与广西当地民俗有关。周去非《岭外代答》记载：“广西诸郡人多能合乐，城廓村落祭祀、婚嫁、丧葬，无一不用乐。虽耕田，亦必口乐相之，盖日闻鼓笛声。”由此可见，宋代广西盛产瓷腰鼓与当地百姓喜乐爱舞的民族习俗有密切的关系。这种瓷腰鼓在广西相袭使用到今天。

宋代广西制瓷业繁荣的原因

高岭土是分布最广、最为常用的制瓷原料之一。广西地区已探明的高岭土矿、耐火黏土矿及陶瓷黏土矿矿床共十余处，主要分布在今藤县、容县、合浦、平乐、宾阳、邕宁等地。在这些分布有陶瓷烧造原料的地区中，容县和藤县在宋代皆有影响较大的瓷窑，即容县城关窑和藤县中和窑，二者皆得利于所在区域优质的高岭土矿。这是宋代广西制瓷业繁荣的物质基础，是决定宋代广西制瓷业繁荣的前提条件。

广西瓷器的烧造技术非独立起源，而是从北方传入的。宋代尤其是南宋时期，北方战乱频繁，广西社会相对安定，大量北方人口南迁广西，制瓷技术得以在广西广泛传播。宋代广西地区青白瓷自成规模，虽然各产地皆具备烧造瓷器的基础因素——优质高岭土（包括一般瓷土），但是烧造青白瓷所需的技艺才是起决定作用的因素。所以，宋代广西北流河流域的青白瓷窑得以兴起的决定性因素是外来制瓷技艺的内传。以永福窑为例，如若没有耀州窑风格的装饰技艺的内传，恐怕难成气候。由此可见，内传制瓷技艺对宋代广西地区制瓷业的影响巨大。

宋代商品经济发达，海上丝绸之路繁荣，对外交流频繁，瓷器是外销的大宗商品之一。在海外对中国瓷器需求日益增长的情况下，为了满足海上“陶瓷之路”外销的需要，沿海地区的瓷窑蓬勃发展，广西瓷窑也不例外，在外需的强力推动下，迎来繁荣发展。另外，从地理位置上看，早在汉代，今广西南部的合浦就以最早的海上丝绸之路港口而闻名，而且广西地处唐宋中国对外贸易重要港口——广州的重要水路交通线上。宋代广西瓷窑主要分布在北流河流域及湘江上游的洛清江流域。瓷窑多临江而设，一方面方便制瓷用水，另一方面有利于制瓷原料的运输和瓷器的外运。宋代广西地区虽没有设立专门的市舶司，但在今钦州等地区设有博易场，其功能实际上类似于市舶司。广西南部面向东南亚，在与东南亚各国进行贸易的过程中，钦州博易场发挥了重要的作用。瓷器在宋时的大量外销，是宋时广西地区制瓷业繁荣的重要原因之一。

优质的物质基础、宽松的文化环境、制瓷技艺的内传、广西对外来文化的接纳和海外瓷器的大量需求等原因共同造就广西制瓷业在宋代达到高峰。宋代广西制瓷业宛若灿烂的流星划过广西历史的天空，成为宋代广西商品经济发展、南北文化融合、海上丝绸之路繁荣的见证。

史格平定广西

入觐，加定远大将军，赐以天泽所服玉带。从攻静江，众以轒辒自蔽凿城，格所当，炮礌蔽地，车不可至，乃伺隙率众攀堞，蚁附而上，拔之。徇广西十八州、广东三州，皆下。静江受兵之初，溪洞诸夷皆降云南，格遣使谕之，来者五十州，云南争之，事闻，诏听格节度。升广西宣抚使，改镇国上将军、广南西道宣慰使。

——宋濂等《元史》卷一百五十五《史格传》

史格及其早期活动

史格（1234—1291年），字晋明，号裕斋，真定（今河北正定）人，出身于蒙古汉军世家。其父史天泽为元朝左丞相，是著名的政治家和军事家。史格本人也曾官至湖广行省平章政事，在元朝统一中国进程中做出了重要贡献，因而《元史》为其立有传记。

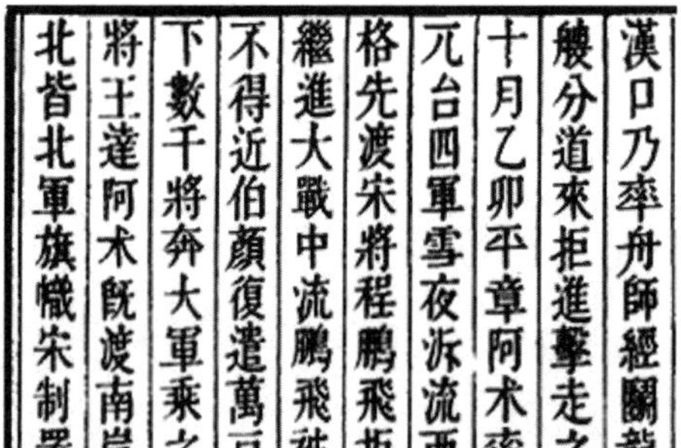

漢口乃率舟師經關龍口至沙步入江遇宋兵三百餘艘分道來拒進擊走之次武磯堡宋將夏貴堅守不下十月乙卯平章阿术率萬戶晏徹兒史格賈文備同忙兀台四軍雪夜泝流西上黎明至青山磯北岸萬戶史格先渡宋將程鵬飛拒敵格被三創喪卒二百人諸將繼進大戰中流鵬飛被七創敗走舟泊中洲宋兵阻水不得近伯顏復遣萬戶張榮實等率舟來援夏貴率麾下數千將奔大軍乘之大敗走黃州遂拔武磯堡斬守將王達阿术既渡南岸翼日丞相伯顏覘師則大江南北皆北軍旗幟宋制置使朱禩孫遁還江陵語在阿术

《元史》中关于史格的记载

《元史·史格传》记载，蒙古宪宗二年（1252年），宪宗蒙哥汗将衡城赐给史天泽，同时授予史格为节度使。蒙哥汗去世后，史格北上留守谦州（时属岭北行中书省，在今俄罗斯图瓦自治州），五年后南归，任邓州旧军万户。此后，史格代替张弘範任亳州万户。元至元十一年（1274年），史格随元朝大军进攻襄阳。攻破襄阳后，元军渡江南下，平章阿术率领元军二十五个万户为前锋，每五个万户选择一人作为统帅，史格即是五个万户统帅之一。史格率领其部率先渡江，为宋将程鹏飞部所阻击，史格全身三处负伤，士兵战死二百余人。此后，史格率部与宋军再战，他又中箭受伤，程鹏飞也七处负伤，宋军溃败而退。战后，枢密院以史格轻敌冒进为由奏请朝廷治其罪，元世祖忽必烈念其功高，对其从轻处罚。

追随阿里海牙平定广西

元至元十二年（1275年），忽必烈命史格跟随平章阿里海牙进攻潭州，并于至元十三年（1276年）正月攻破潭州。在进攻时负伤的史格率先攻入潭州城，元朝廷因其有功，任命他为军民安抚使，留戍潭州。

攻占潭州之后，史格返京觐见忽必烈，忽必烈授予史格为定远大将军，还赐给史格其父史天泽曾经使用过的玉带。攻破潭州之后，湖南南部、江西、广东及广西北部边境的宋朝官员都纷纷归顺了元朝，《元史》对此记载："遣使徇郴、全、道、桂阳、永、衡、武冈、宝庆、袁、韶、南雄诸郡，其守臣皆率其民来迎。"唯有留守静江府的广西经略安抚使马塈，一边"发所部及诸峒兵"防守静江府，一边亲领三千精兵坐镇严关迎敌，并在大、小严关一带布防，"凿马坑，断岭道"。在此背景下，忽必烈诏命阿里海牙进兵广西，史格追随阿里海牙共同进攻广西。至元十三年（1276年）十一月，史格随阿里海牙率军入广西，攻破严关，宋朝都统马应麟防守的小溶江也相继失守，元军进逼静江，遣使持世祖诏招降，宋朝守将马塈焚诏斩使，坚决抵抗。

静江城城墙坚厚，城外又有水系环绕，凭着这些天然屏障，守城宋军多次击退元军，元军攻城三个月未能攻破静江城。此后，阿里海牙命元军在大阳江、小溶江上游筑坝截流，又在城东南以掘堤放水的方式使城壕干涸，继而用攻城车护掩凿城、攻城。其他人都在攻城车的掩护下挖城墙，但是史格所在的地方，炮火密集，战车无法发挥掩护作用，他就利用宋军炮火相对的间隔时间，率领士卒攀缘入城，攻下了静江城。《元史》对此记载："从攻静江，众以轒辒自蔽凿城，格所当，炮礌蔽地，车不可至，乃伺隙率众攀堞，蚁附而上，拔之。"

据元人苏天爵所编《元文类》，攻破静江府后，阿里海牙旋即回军北撤，留史格镇戍广西。至元十四年（1277年），史格率军相继攻占了广西的昭、贺、梧、浔、藤、容、象、贵、郁林、柳、融、宾、邕、横、廉、钦、高、化等十八州。此后，元军顺西江而下攻占了广东的肇庆、德庆、封州三州，《元史》对此记载："徇广西十八州、广东三州，皆下。"对于那些已经纳入元朝版图的地方，史格力主蠲（juān）免其三年田赋，并开放官仓以赈济贫民。

平定广西十八州后，史格派遣万户郑何、朱国宝、刘五刚、赵珪、赵修己等分别戍守贺、昭、梧、融、邕等州，派遣千户马天麟、宋景、刘居进、花礼、完颜世英、李宗、张武、邹瑛、阎国顺、脱欢等分别戍守浔、宾、横、容、象、柳、廉、钦、高、化等州。史格认为广西情况复杂，如果千户不兼民职，则权分而令不专。如此，则不利于对广西地方的控制。皇帝听闻此事后，即诏令赋予这十个千户以军民总管的职权。

力促左右江地区回归广西

史格平定广西十八州后的另一个重要贡献是力促左右江地区回归广西。元军围攻静江府三个月才将其城破。《元史》记载："阿里海牙以静江民易叛，非潭比，不重刑之，则广西诸州不服，因悉坑之。"阿里海牙的政策促使左右江地区的土酋们纷纷投靠了当时的云南行省。

为此，史格认为，左右江地区与邕州等地关系密切，犹如一个人的手足和身体的关系一样。各土官归附云南，势必会藐视广西，认为广西无法控制他们。而广西当然会出兵抵御和驻兵警戒，这样，两边经常对垒，地方将永无宁日。因此，史格派官员对左右江地区土官进行劝诫，陈说归附云南之弊以及归附广西之利：归附广西，各土官统治地方时如有缓、急事宜，容易得到救援；归附云南，因路途遥远难以济急。归附广西，各土官到京师朝贡，路较近、易通达；归附云南，因路远而增加困难。归附广西，左右江地区与广西其他地方通商贸易较便利；归附云南，通商贸易将更加困难。经过劝说，由归附云南转而归附广西的州峒达五十个之多。

云南行省平章赛典赤投书斥责史格，自称与史格之父史天泽“久共政”，坚持要史格让出左右江地区，使之归属云南行省。史格坚决不退让，双方发生争执，各遣使奏闻，向朝廷要求左右江地区的统治权。结果，史格派遣的使者先到达京城大都（今北京），最后由皇帝裁定并下诏同意了史格的要求，并升史格为广西宣抚使，后晋升为镇国上将军、广南西道宣慰使。

元人苏天爵所编《元文类》对此记载：“静江受兵，溪洞诸夷既降云南。公曰：‘邕、容视左右两江，犹身之有手足。今归云南，度吾不能制，必轻为寇。入则吾御，归则吾备，是吾不遑一日息兵其界也。’遣使谕曰：‘尔舍朝发夕至之邕、容，乃远托数千里经数夷地不至之云南，何以应缓急？或他日尔越界为市，诸戍必以入寇加诛而矣。且朝京师路迂，皆非计之得者。’溪洞闻之，翻云南来者五十州。后云南争之，其省平章为书让，公曰：‘吾与先太尉久共政，汝不可有吾成功。’各驿以闻，公使先至，诏听公节度，升昭勇大将军，广西宣抚使。寻罢宣抚，改镇国上将军，广南西道宣慰司。”

左右江地区与邕、容等州相邻，宋时同属广南西路。元军在静江府时，左右江溪峒土酋们转而归附云南行省，故左右江地区曾受云南行省管辖。《元史》记载，至元十四年（1277年）夏四月，“宋特磨道将军农士贵、知安平州李维屏、知来安州岑从毅等，以所属州县溪洞百四十七、户二十五万六千来附”。该史料说的即是广西西部的溪峒土酋们纷纷投靠云南行省之事。史格采用威逼利诱等方式，说服左右江地区的土酋们最终弃云南而归属广西，《元史》记载：“静江受兵之初，溪洞诸夷皆降云南，格遣使谕之，来者五十州。”

正是史格之功，使左右江地区的土酋们弃云南而归属广西，确保了广西在元代的管辖范围基本承袭了宋代广南西路的大体格局，奠定了今日广西行政区划的基本格局，对广西各民族的经济、文化交流和社会进步有着积极的作用，也有利于稳固元朝在广西的统治。

总而言之，史格平定广西，在推进元朝建立统一多民族国家进程中立下了重要功劳，他力促左右江地区回归广西，是元初广西统一的推动者。所以在两广平定以后，他又升任为参知政事、广南西道宣慰使，后升任为湖广行省右丞，进平章政事，于五十七岁时去世。

元朝对黄圣许的招抚

时知上思州黄胜许恃其险远，与交趾为表里，寇边。二十九年，诏国杰讨之。贼众劲悍，出入岩洞篁竹中如飞鸟，发毒矢，中人无愈者。国杰身率士奋战，贼不能敌，走象山，山近交趾，皆深林，不可入，乃度其出入，列栅围之，徐伐山通道，且战且进，二年，拔其寨。胜许挺身走交趾，擒其妻子杀之。国杰三以书责交趾索胜许，交趾竟匿不与。夏，师还，尽取贼巢地为屯田，募庆远诸壮人耕之，以为两江蔽障。后蛮人谓屯为省地，莫敢犯者。诏遣使即军中以玉带赐之。

——宋濂等《元史》卷一百六十二《刘国杰传》

黄圣许（有些史籍将“圣”记为“胜”），原名黄威壁，宋元时期左江流域上思州土酋。宋元时期的上思州即今广西防城港上思县，地处明江上游的十万大山（十万大山是横亘在今中越边境地区的一系列山脉的总称，元朝时又称象山）。据有关研究，黄圣许于南宋宝祐年间继任上思州知州，景定四年（1263年）被宋王朝封为平章节度使，兼上思州知州。

在宋元鼎革之际，广西各地府州和各地土酋纷纷向元朝表示愿意归顺。元世祖时期，左右江地区沿袭前朝的羁縻制度发生了重大变化。元至元二十三年（1286年）十一月，元王朝“改思明等四州为路”，即将左江流域的思明州、太平州与右江流域的田州、来安州等南宋设置的四个羁縻州升为路，其中思明路辖上思明、下思明、上石西、下石西、思陵、禄州、西平、迁隆、上思、江州、忠州等州及罗白县、凭祥峒等地。

进入元代后，左江流域沿袭了南宋后期的情况，土酋势力仍以黄氏为盛。至元二十三年（1286年）镇南王脱欢议“改思明等四州为路”时，以思明州牧黄坚作为思明路土官总管。此外，思明路所属上思州的黄圣许的势力亦十分雄厚。在右江流域，右江上游来安路的岑雄、岑世兴父子开始崛起，并不断攻占其他土司地区。此即为宋末元初左右江地区土酋大体的政治格局，而黄圣许则利用上思州处于广西十万大山及南部接近安南的有利地形，不断与右江流域岑姓土酋相互攻伐，争夺左右江地区控制权而被元朝廷视为“边患”。《元史》记载：“时广西两江岑雄、黄圣许等，屡相仇杀，为边患。”

黄圣许不仅与右江岑氏相互攻伐，还在左江流域不断扩展势力。至元二十九年（1292年）闰六月，黄圣许出兵两万人占领了思明路所属忠州（治所在今广西扶绥县西南旧城）并结援于安南，欲借兵攻打邕州。为此，思明路总管黄坚不仅向元廷奏报上思州黄圣许“聚众”为患，还请求皇帝调遣军队一万人、土兵三千人，命令刘国杰讨伐黄圣许，并主动要求自带所属军民万人参与元廷对黄圣许的征讨。《元史》记载：“左江总管黄坚言：‘其管内黄胜许聚众二万，据忠州，乞调军万人、土兵三千人，命刘国杰讨之。臣愿调军民万人以从。’诏许之。”

元朝对黄圣许的剿抚

元朝征讨黄圣许有其内在的因素。元朝对黄圣许在元初即已内附，又勾连交趾以为外援劫掠溪峒的做法大为不满。此外，元朝派镇南王脱欢两次征伐安南皆铩羽而归的重要原因在于安南兴道王陈国峻利用元军退兵之时进行伏击，使得元军遭受重创，而黄圣许却与两次打败元军的陈国峻维持了联姻关系。因而，当黄坚向朝廷奏报黄圣许“聚众”为患时，忽必烈最终下诏同意了黄坚的请求。至元二十九年（1292年），元廷委派两次征讨安南的程鹏飞与刘国杰征讨黄圣许，但程鹏飞以无法胜任其职为由婉拒了元廷，因此，征讨黄圣许之事则由刘国杰统筹，而当时的思明路总管黄坚也主动要求参与对黄圣许的征讨。

最终，黄圣许战败，率三十人逃入安南。对此，《元史》记载："黄胜许恃其险远，与交趾为表里，寇边……贼众劲悍，出入岩洞篁竹中如飞鸟，发毒矢，中人无愈者。国杰身率士奋战，贼不能敌，走象山，山近交趾，皆深林，不可入，乃度其出入，列栅围之，徐伐山通道，且战且进。二年，拔其寨。胜许挺身走交趾，擒其妻子杀之。国杰三以书责交趾索胜许，交趾竟匿不与。夏，师还。"但是当元军师还后，黄圣许继而复至老巢，甚至又继续攻掠边地其他地方。

至元三十一年（1294年），元廷试图招抚黄圣许。元朝无名氏所著《招捕总录》较为详细地记载了元廷招抚黄圣许的过程："（至元）三十一年，同知两江宣慰司杨兀鲁台上言，能不用兵招降圣许，从之。八月，圣许劫团长山隘，又与交趾兴道王结婚。未几，诏赦罪，许自新，行省差杨兀鲁台赴贼黄合巢内开读。圣许经一月亦不出，复以二万人讨之。时贼屯上思州那答栅、三忒栅、佃良栅、石佛栅、那结栅、那次栅等寨。杨兀鲁台上言，圣许两招不出。（元贞元年）三月七日，令子志宝同大小头目一千余人来言，圣许曾对天陈誓，不肯出官。赍到降状，称杨兀鲁台赍圣旨来招，岂不欣悦！望北谢恩外，圣许虽有誓不出，情愿投降，当令儿孙头目出官，圣许还本州，招集逃户复业。行省以圣许不出，依前进讨。三月十九日，圣许生日，坐草房正厅，紫罗盘领衫，裹布金带，据银交椅，直上悬朱漆金字阙牌，参贺人三呼万岁。”从《招捕总录》所引史料可以看出，黄圣许对于元朝的招抚总是敷衍了事、阳奉阴违，借口曾经发誓“不肯出官”，只是让儿子志宝和大小头目出官受降。元廷则剿抚并用，以黄圣许招抚不出为由，在至元三十一（1294年）、元贞元年（1295年）两次征讨黄圣许，而黄圣许对朝廷的征讨采用了游击战术。当元朝大军前来征讨时，其即利用上思州与安南毗邻的地理环境“逃入交趾”；当官军撤退后，又复聚上思老巢，甚至攻掠其他州峒。

此后，黄圣许仍不断利用上思州处于十万大山并与安南毗邻的地理环境而叛乱。在此背景下，在忽必烈去世后第二年，

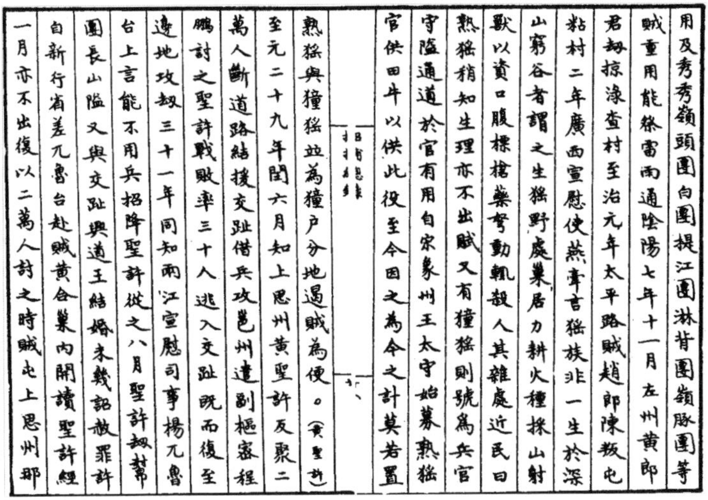
用及秀秀嶺頭圍白圍提江圍淋背圍嶺豚圍等
賊重用能祿雷雨通陰陽七年十一月左州黄郎
君劫掠淥查村至治元年太平路賊趙郎陳叛屯
粘村二年廣西宣慰使燕聋言猺族非一生於深
山窮谷者謂之生猺野處巢居力耕火種採山射
獸以資口腹標搶藥弩動輒殺人其雜處近民曰
熟猺稍知生理亦不出賊又有獞猺則號爲兵官
守隘通道於官有用自宋象州王太守始募熟猺
官供田牛以供此役至今因之爲今之計莫若置
熟猺與獞猺並爲獞户分地遏賊爲便。(黄聖許)
至元二十九年閏六月知上思州黄聖許反聚二
萬人斷道路結援交趾借兵攻邕州遣副樞密程
鵬討之聖許戰敗率三十人逃入交趾既而復至
邊地攻劫三十一年同知兩江宣慰司事楊兀魯
台上言能不用兵招降聖許從之八月聖許劫幫
團長山隘又與交趾與道王結婚未幾詔赦罪許
自新行省差兀魯台赴賊黄合巢内開讀聖許經
一月亦不出復以二萬人討之時賊屯上思州那

《招捕总录》中关于黄圣许的记载

即元贞二年（1296年），以黄圣许、黄法安为首的上思州土酋再次叛元，攻占水口思光寨，为湖广行省调兵打败，黄圣许遁入上牙、六罗，黄法安等被元军擒获。当元军再征时，因安南招诱，黄圣许又逃往安南避元军锋芒。《元史》对此记载，元贞二年（1296年）正月，“上思州叛贼黄胜许攻剽水口思光寨，湖广行省调兵击破之，获其党黄法安等，贼遁入上牙六罗”，元贞二年（1296年）五月，“安南国遣人招诱叛贼黄胜许”，六月，“黄胜许遁入交趾”。

黄圣许外逃安南后，元廷在上思州黄氏故地及其邻近区域设置了大规模的军屯，并从桂西庆远等处招募大量瑶、壮族民丁迁徙到此屯垦。对此，《元史》记载：“广西两江道宣慰司都元帅府壮兵屯田：成宗大德二年，黄圣许叛，逃亡交趾，遗弃水田五百四十五顷七亩。部民有吕瑛者，言募牧兰等处及融庆溪洞瑶、壮民丁，于上浪、忠州诸处开屯耕种……为户上浪屯一千二百八十二户，忠州屯六百一十四户。”元朝廷希望在其故地设置军屯以此遏制黄圣许持续不断的扰边活动。

但建立军屯似乎并不能有效阻止黄圣许继续在边境进行攻掠活动。《招捕总录》对此记载，元大德六年（1302年），“圣许复回故地，居凤凰旧巢，攻围诺屯、仙洞屯，既而又使人告降，且乞还其所虏之妾。朝廷羁縻之”。在“朝廷羁縻之”的背景下，黄圣许则一边继续与元朝廷周旋，另一边则在大德九年（1305年）遣人贡献方物，希望能恢复其儿子的官职，元成宗则以黄圣许叛服无常为由加以拒绝，《元史》对此记载，大德九年（1305年）十一月，“黄胜许遣其属来献方物，请复其子官。帝不允。曰：‘胜许反侧不足信，如其悔过自至，则官可得。’命赐衣服遣”。

元成宗去世后，元武宗即位，元武宗随即又遣人向黄圣许招谕，至大三年（1310年）正月，“诏湖广行省招谕叛人上思州知州黄胜许”。但是黄圣许仍继续在边境进行劫掠。《招捕总录》记载：延祐元年（1314年）正月，黄圣许再次攻陷忠州，并杀忠州黄知州等。延祐六年（1319年），黄圣许族人黄万山、黄松寿攻古能村、戈村，劫掠归龙团、皮零洞等地。至治三年（1323年），黄圣许女婿黄县官攻打邕州渠乐墟，百姓奔走避难于弯团。与此同时，右江流域来安路总管岑世兴于至治二年（1322年）十二月作乱，元廷派遣军队征伐无果。

在此背景下，至治三年（1323年）七月，元朝廷再次“招谕左右两江黄胜许、岑世兴”。至此，黄圣许自至元二十九年（1292年）攻伐忠州始，到至治三年（1323年），其在边境攻伐掠地历时三十二年之久，此时已垂垂老矣，力不从心，而元朝廷也无力深入土司地区。在此背景下，在泰定元年（1324年）六月，黄圣许、岑世兴乞遣其子弟朝贡，而元朝廷也不再坚持要求黄圣许亲自入朝才恢复其土官职位，于是同意了其朝贡的请求。

黄圣许归附元朝的意义

泰定元年（1324年）十二月，元朝廷最终决定以岑世兴为怀远大将军，授沿边溪峒军民安抚使，佩虎符，仍授职来安路总管；以黄圣许为怀远大将军，授沿边溪峒军民安抚使，佩虎符，辞官退休后，其子黄志熟袭为上思州知州。对此，《元史》记载，泰定元年（1324年），“十二月癸丑朔，黄胜许为怀远大将军，遥授沿边溪洞军民安抚使，佩虎符，致仕，其子志熟袭为上思州知州”。次年九月，岑世兴上疏“自明不反，请置蒙古、汉人监贰官”，元朝廷“诏优从之”。

监贰官是元朝时各级地方官府中辅佐正官的官员。元时桂西地区监贰官的出现和左右江地区四个总管府的设置及其采取“杂土人用之”的政策，开始改变唐宋以来桂西地区在羁縻制度下虽有郡县之名，但实同独立王国的状况。以黄圣许为代表的土官的归附，标志着桂西土司地区开始部分地接受中央王朝的直接管理。元朝对黄圣许等人的招抚，是其因俗而治理念的成功实践，为统一多民族国家治理边疆提供了历史智慧。

也儿吉尼：广西第一任“省长”

立广西行中书省，以廉访使也儿吉尼为平章政事。时南方郡县多陷没，惟也儿吉尼独保广西者十五年。

——宋濂等《元史》卷四十六《顺帝九》

于时诸道纷扰弗治，独广右肖然……他如汰郡县之冗设而奸贪以息，禁商贩之越境而钞法以行，节官府之浮费而馈饷以给，民庐延烧，官为赈之，岁饥，劝分俸以倡之，缮城郭、造阳桥、修灵渠，皆政纪之卓然。泮宫之修，公实主之。

——汪森《粤西文载》卷二十六

广西立省，出任平章

也儿吉尼（？—1368年），字尚文，随祖先世居宁夏。元至正五年（1345年），也儿吉尼由京兆府（今陕西西安）调入京城大都为官，担任内台御史一职。不久，也儿吉尼因弹劾权相别儿怯不花而遭排挤，任佥浙西道廉访司事。

至正十一年（1351年），据元朝邹鲁所撰《奉议大夫岭南广西道肃政廉访司副使也儿吉尼公德政碑》，元廷以“岭海遥渺，反侧靡常，非按之以廉明风宪之臣”为由，任命也儿吉尼为湖广行省广西道肃政廉访副使，次年升任湖广行省平章政事兼广西道肃政廉访使。至正二十三年（1363年），元廷正式决定把广西从湖广行省中独立出来，单独设置广西等处行中书省，简称广西行省，为广西建省之始，也儿吉尼升任广西行省平章政事。《元史》对此记载：至正二十三年（1363年）三月，“立广西行中书省，以廉访使也儿吉尼为平章政事。时南方郡县多陷没，惟也儿吉尼独保广西者十五年”。但也儿吉尼其人却长期为人们所忽视，一个重要的原因是明初在纂修《元史》时没有为其立传，只是以寥寥数语介绍其出任广西行省平章一事。

清康熙年间所编《粤西文载》较为详细地介绍了其个人经历：“额尔济讷，字尚文，唐古氏人。至正二十三年春正月，立广西行中书省，授银青荣禄大夫平章政事，兼岭南广西道肃政廉访使。时红巾扰攘南方，郡县多陷没，岭表震动。济讷议建筑城池，以扼险要，遂捐俸于官，贸易海盐，积以岁月，息倍至万，经制之费皆出于此。四年而克，终事民忘劳焉。济讷能得众心，一时骁将才士多归之，故保有境土二十余年。洪武元年，总兵杨璟取广西，济讷坚壁不下，后城破，被执送京师，不屈死之。”《粤西文载》中的“额尔济讷”即也儿吉尼，它总括了也儿吉尼在桂林十余年的政绩。

当时的静江路儒学提举刘三吾在其所撰《重修桂林府学碑记》中则较为详细地记载了也儿吉尼治理广西的具体事例和治理广西的卓然政绩，该碑记载：“于时诸道纷扰弗治，独广右峭然……时广右未有变者，临桂东乡民谋，始倡即调兵扑遏之，人心遂以帖然，他如汰郡县之冗设，而奸贪以息，禁商贩之越境而钞法以行，节官府之浮费而馈饷以给民，庐延烧官为

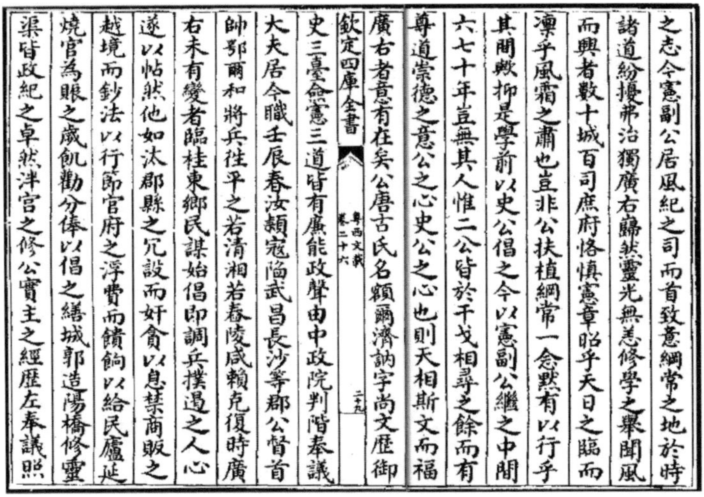
之志今憲副公居風紀之司而首致意綱常之地於時
諸道紛擾弗治獨廣右翕然靈光無恙修學之舉聞風
而興者數十城百司庶府恪慎憲章昭乎天日之臨而
凜乎風霜之肅也豈非公扶植綱常一念默有以行乎
其間歟抑是學前以史公倡之今以憲副公繼之中間
六七十年豈無其人惟二公皆於干戈相尋之餘而有
尊道崇德之意公之心史公之心也則天相斯文而福
廣右者意有在矣公唐古氏名額爾濟訥字尚文歷御
欽定四庫全書　粵西文載 卷二十六　二十九
史三臺僉憲三道皆有廉能政聲由中政院判階奉議
大夫居今職壬辰春汝潁寇陷武昌長沙等郡公督首
帥鄂爾和將兵往平之若清湘若春陵咸賴克復時廣
右未有變者臨桂東鄉民謀始倡即調兵撲遏之人心
遂以帖然他如汰郡縣之冗設而奸貪以息禁商販之
越境而鈔法以行節官府之浮費而饋餉以給民廬延
燒官為賑之歲飢勸分俸以倡之繕城郭造陽橋修靈
渠皆政紀之卓然泮宮之修公實主之經歷左奉議照

《重修桂林府学碑记》中关于也儿吉尼治理广西的记载

赈之，岁饥劝分俸以倡之，缮城郭、造阳桥、修灵渠，皆政纪之卓然。泮宫之修，公实主之。”

兴礼重教，营建学宫

通过考察元朝刘三吾所撰《重修桂林府学碑记》，可以分析出也儿吉尼主政广西的一个重要施政方针就是“以学校王政攸先，风厉学校是首”，因为他本人十分重视对学校的建设，他认为“学校纲常之地，台宪纲纪之司，故自有亲义序别信以来，而大纲小纪，无或出之，伦理之明，风纪所由以振也”。由此，他认为“兹人心，系有纲常，舍而学校，其何克臧?”。当他以广西道肃政廉访副使身份任职于广西后即视察府学。《重修桂林府学碑记》记载，“今宪副公朔望视学”，见府学建筑已“岁久自圮”，“学廪岁入”不足以维修，于是“倡以己禄”，带头集资，将自己的俸禄捐献出来作为重修费用，在也儿吉尼的主持下，“鸠工庀材，择日兴事”。竣工后的府学“户牖栏楯，丹漆雕刻焕然可观，讲堂斋舍缮修有加，奎阁尊经涂塈如法，祠廷易向，献幕更新”。焕然一新的桂林府学，经阁殿上，“弦诵济济洋洋，蔼有邹鲁风”。经过修葺后的桂林府学，“遂为诸道最，宪副公作新之功伟矣”。

在也儿吉尼兴礼重教政策的推动下，元末广西各地纷纷兴修学校，掀起了兴办教育的热潮。《重修桂林府学碑记》记载：

“今宪副公居风纪之司，而首致意纲常之地。于时诸道纷扰弗治，独广右峃然灵光无恙，修学之举闻风而兴者数十城。”平乐府学，即是广西行省理问官拓跋元善于至正二十四年（1364年）重修而成，元朝常挺所撰《平乐府学记》记载，平乐府学修成之后，“春夏诗书之教，朝夕弦诵之声，使民沐浴于膏泽”，“庠序之兴明伦，育俊秀，化民成俗，有古君子之风”。

总而言之，也儿吉尼主政广西期间，兴修学校，推行儒家教化，在元末政局混乱之际以此维系民心，在维护广西社会稳定层面起到了积极的作用。

修浚古灵渠，重建四贤祠

灵渠的兴废事关重大，所以历代均重视其整修。也儿吉尼在任期间有过一次大修灵渠之举，这次修渠的过程在雍正《广西通志》收录的元朝黄裳所撰《灵济庙记》中有详细的记载，该庙碑记载，至正十三年（1353年）夏，兴安暴雨成灾，经洪水冲刷，秦堤陡门石崩土塌，漕运灌溉设施俱毁，“堤者圮，陡者隤，渠以大涸，壅漕绝溉，而向者四贤之勤，千五百余岁之大利荡然矣”。在这种情况下，也儿吉尼将自己几年来积攒的俸禄全数捐出，“悉发近岁给禄秩钱五千缗（mín）”，同时委派静江路判官王惟让、宪使张文显两人前往兴安专司督修。此次灵渠大修从至正十四年（1354年）九月动工，至第二年一月顺利竣工。在官员和夫役的努力下，修复了灵渠铧堤、渠堤及陡门的溃坏处。灵渠重修后，舟楫南来北往，沿渠水利灌溉如初。

因红巾军起义，淮盐无法行销湖南，湖南改销广西海北盐厂食盐。灵渠自秦汉以来就是联通广西和湖南最便捷的交通要道。也儿吉尼以重修灵渠为契机，制定了海北盐销往湖南的贸易规则，禁止广西私盐销售到湖南，而由广西当局主导海北盐重新进入湖南市场，以获得维持元末广西政局稳定的财政来源，同时通过盐利保证元末钞法在广西的继续通行。也儿吉尼将重修灵渠、行销海北盐与维持广西钞法建立密切联系，这就是刘三吾在《重修桂林府学碑记》中提到的也儿吉尼治理广西的卓然政绩，即“禁商贩之越境而钞法以行”。

由此看来，重修灵渠对当时的广西和湖南均有重要意义。一是海北盐得以顺利进入湖南，而广西则依靠输出海盐获取了盐利，以充实财政；二是从粮食产量充足的湖南输入粮食到广西，以满足广西的粮食需求。至正十五年（1355年），进士补化在其所撰《重修灵渠记》中指出灵渠的作用：“不惟惠周于广右，而复功被于湖南。”

按时人习俗，灵渠修浚之后要感谢神灵，但灵渠附近的旧祠早已荒废，“庙貌窳陋，不称神栖”，王惟让、张文显“既归复命，具以告公”。也儿吉尼得知荒祠一事，提出再次重建新祠。元朝黄裳所撰《灵济庙记》记载，重修后的新祠“撤敝为新，易卑以崇。虎陛有严，门堂有秩。像设如在，精灵炳然。

民吏具瞻，罔不只肃”。一个破旧不堪的四贤祠被修整得焕然一新，门前屋后园林的竹木井然有序，四个神像摆放在堂上熠熠生辉。官人和百姓齐来瞻仰，无不对也儿吉尼肃然起敬。而新建之祠“肃命之灵济之庙”，称灵济庙，因灵济庙奉祀秦朝郡监史禄，汉朝伏波将军马援，唐朝桂管观察使李渤、刺史鱼孟威，故又称四贤祠。“岭南之民好祥端，侈祠宇其俗固矣，惟兹四贤其生也。”

修筑静江城，终难抵明军围攻

除上述事迹外，也儿吉尼在广西任职期间的另一重要功绩是重新修筑静江城，元朝杨子春在《桂州新城记》中记载：“至正十有一年，监宪额尔济讷宪副是邦。明年，淮右盗起，湖广不守，遂入湘南，衡永皆警，岭表震动。公谕众曰：‘八桂根本一十六州，国保于民，民保于城。’乃议建筑城池，以为设险守国之要。”元朝危素在其所撰《新城记》中记载也儿吉尼修筑静江城的详细过程，该碑记载：“按至正十六年，公以静江实广海重镇，宜严捍蔽，旧城率筑土而被之以砖，阅岁滋久，颓圮殆尽，惧无以防卫生聚。始欲如古修营，则虑徒多版筑陶埴之费，且非经久计。复欲括城中所有石，又驳杂弗齐，艰于缔垒，祝不及百千分之一。覃思积时，奄得良策。乃睇睨负郭山多美石，坚缜可用。遂教示匠石琢裁之法，巧运机繘，佣工舁（yú）之，力寡功伙，人以为便。工日给钞一百文，粟三升，匠者倍焉。其高二丈有奇，广三丈，延袤三千七百余丈，表里衡结，通趾顶皆石，甓砌完密，雉堞楼橹，莫不如制。”

新建后的静江城在防御方面成效显著。在明军势如破竹的情况下，也儿吉尼所管辖的静江城在面对杨璟、朱亮祖两路明军长达三个月的围攻后，才被攻破。这在当时明军势如破竹的抗元战争中相当罕见，作为广西实际执政者的也儿吉尼功不可没。至正二十八年（1368年），也儿吉尼守卫静江城三个月后战败被俘，后被杀害于南京。至此，从至正十一年（1351年）也儿吉尼担任湖广行省广西道肃政廉访司副使起，其在广西任职长达十七年之久，元朝危素在《新城记》中对元末广西独立建省后的首位“省长”——也儿吉尼给予了高度评价，称赞其“四方兵乱者十年，而广西之境晏然无虞”。然而，在元亡明兴的大势下保持了十余年“晏然无虞”局面的广西，面对锐意统一中国的南下明军，也只能是回天乏术。

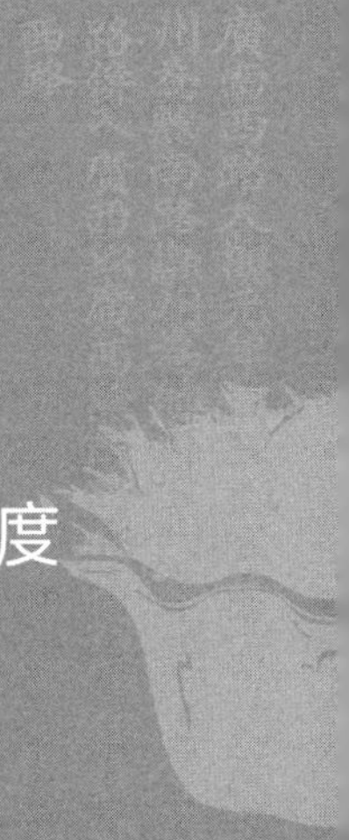

广海选制：元代特殊的选官制度

泰定四年……广海阙官，于任满得代，有由应得路府州县儒学教授、学正、山长内愿充者，借注正九品以下名阙，任回，止理本等月日。

——宋濂等《元史》卷八十三《选举三》

五岭之南，列郡数十，县百有一十，统于广、桂、雷三大府。自守令至簿尉，庙堂岁遣郎官御史与行省，考其岁月，第其高下而迁之，谓之调广海选。

——《全元文》卷一千零七《广海选论》

广海选制度的背景

广海选制度，又称“广选”“两广选”，是元朝在南部边疆推行的一种特殊的官员铨选制度，它是唐宋南选制度在元代的发展。唐代南选制度，始于唐上元二年（675年），《新唐书》记载，“以岭南五管、黔中都督府得即任土人，而官或非其才，乃遣郎官、御史为选补使，谓之‘南选’”，次年八月即“置南选使，简补广、交、黔等州官吏”。《唐会要》对南选制度的具体运作记载：“四年一度，差强明清正五品已上官。充使选补，仍令御史同往注拟，其有应任五品已上官者，委使人共所管都督府。相知具条景行艺能政术堪称所职之状奏闻。”在唐代南选制度的基础上，宋代亦有南选之制度，周去非《岭外代答》记载：“广西去朝廷远，士夫难以一一到部，令漕司奉行吏部铨法，谓之南选。”从《岭外代答》的记载可知，在宋代南选制度下，由转运司负责对应选者进行选拔和考核。

忽必烈时期，由于南部边疆多为“穷边险远”之地，经济文化落后，士大夫视之为“迁谪之区”，往往忌惮前往边地为官，以致包括广西在内的南部边疆地区官员缺失严重，《通制条格》对此记载：“诸两广、福建地面，或有全阙正官去处。”此外，元朝科举的长期停废进一步加剧了南部边疆地区官员缺乏的问题。为了缓解缺官问题，加强对南部边疆地区的控制与开发，元朝对唐宋的南选制度进行改造，制定了广海选制度。

各种史籍对这一制度多有记载，如元朝朱思本在《广海选论》中说道："五岭之南，列郡数十，县百有一十，统于广、桂、雷三大府。自守令至簿尉，庙堂岁遣郎官御史与行省，考其岁月，第其高下而迁之，谓之调广海选。"又如《元史》记载："边远重难去处，如委不可阙官，从差去官与本省官公同选注能干人员，开具历仕元由，并所注职名，拟咨都省，候回准明文，方许之任。"再如元朝宋褧（jiǒng）在《燕石集》中记载："国家幅员视古为广，要荒州县赴京师，动涉万里，因定制四川、云南、福建、广南西五道，三岁一遣官，廉慎有干局者，诣所隶行省，偕行台监察御史，注拟三品以下官，比奏闻，降制敕先遣赴上。"

从上述关于广海选制度的记载，可以看出，广海选制度产生的背景是由于南部边疆过于偏远，常规的吏部铨选难以推行，于是元朝中央王朝每三年派遣一批官员，与行省官员一道，铨选"三品以下"官员。选拔时要写清楚官员的出身与履历，以及拟授予的官职，呈交中书省批准，所选拔的官员"候回准明文"，方可前去任职。这一过程又有行台监察御史监督，以确保其公正性。值得注意的是，元朝人虽然把这一选官制度称为广海选制度，但实际上这一制度的实施范围并非仅限于岭南地区。元朝时，朝廷在位置同样偏远，交通条件同样恶劣的福建、云南、四川等地，也实行这样的选官制度。

广海选制度的发展

元朝的广海选制度经历了一个逐渐发展完善的过程。在元世祖和元成宗时期，广海选制度所铨选的官员级别限制在五品或者六品以下。如《元史》记载，元至元十九年（1282年）十月忽必烈“诏令两广、福建五品以下官员，就近到行省铨选注册”，即允许行省自行选用五品以下地方官员；元贞元年（1295年），“遣使与各省官就迁调边远六品以下官”；大德二年（1298年），“命中书省遣使监云南、四川、海北海南、广西两江、广东、福建等处六品以下选”。元仁宗以后，铨选的范围扩大到三品以下，《元典章》记载，规定广海选“迁调官员三品、四品，拟定咨呈。五品以下先行照会之任”。这一时期较元世祖时期，所选官员的品级大幅提升。关于其迁调方式，三品、四品官员需要先行拟定职名上报中书省，待批准后方许任职，五品以下官员则可以先上任再奏报。

从广海选制度所选拔的官员来源来看，这些官员既有路府州县管民官，又有廉访司官以及巡检司、儒学、盐司等官署的官员，这些被选官员的曾任官职官品都不是很高，多为各级政府的吏员，如元朝徐明善在《芳谷集》中记载，延祐六年（1319年），其同姓叔父徐方塘原为钦州教授，后通过广海选而转任上林簿尉。这一选官制度确实选拔了一些优秀的人才，为南部边疆地区的发展做出了一定贡献。如元代大儒揭傒斯在《文安集》中为其老乡甘朝举所撰墓志铭中记载了其友通过广海选制度而改任广西帅府经历一事。甘朝举是江西人，原为湖广行省掾吏，“问疑发难，辩答如响”，很受器重。泰定初年，甘朝举通过广海选制度，被选为广西帅府经历，官阶为从六品。甘朝举任广西帅府经历一职期间，“广储峙，简邮传，省征敛，以养兵息民”，为广西地方发展做出了不少历史功绩。

揭傒斯画像

从被选官员的迁转情况来看，虽然广海选制度为被选者提供了一条由吏入仕的重要途径，但迁转困难，前途有限。那些通过广海选制度选拔出来的官员需要到条件恶劣的南部边疆地区任职，以此获得一定的资历，为将来的迁调积累从政资本。如杨维桢在《东维子集》中指出的情况，“奔竞者往往争入其选，以利转阶之速”。事实上，被选者去南部边疆地区就职，确实可以获得职务和官品上的优待。《元史》记载，至治二年（1322年）二月，元英宗下诏“广海郡邑官旷员，敕愿往任者，升秩二等”，即被选者任职于广海，获得了擢升二级的待遇。

危素在《危太朴文续集》中提到，江西贵溪人祝蕃，原本只是湖广行省的吏员，但是通过广海选制度，获任广西境内的浔州路判官，官品大为提升。但广海选官员的迁调情况并不乐观。如前述元代大儒揭傒斯为其友甘朝举所作墓志铭中提到，甘朝举泰定元年（1324年）为湖广行省掾吏，“朝廷遣使与南台监察御史铨广选，首用为广西帅府经历”，等到元统元年（1333年）才得以调官京师，任奉议大夫平江路嘉定州知州。甘朝举从广西帅府经历考满迁调京师任职，用了将近十年时间，其迁调难度可见一斑。

广海选制度虽然为被选者提供了一条由吏入仕的渠道，也在一定程度上缓解了南部边疆地区缺官的现象，但是广海选制度在实际运作中也存在显著的问题，这些问题当中又以广海选官员不赴任的问题最为突出：那些被选者或借故不来，或到任不久即离去。广海选官员不愿赴任的理由，无外乎畏惧岭南等地远在万里之外。以广西为例，《元史》记载：至元二十五年（1288年）十月，“湖广省言：左、右江口溪洞蛮僚，置四总管府，统州、县、洞百六十，而所调官畏惮瘴疠，多不敢赴”。

为了解决官员不敢赴任的问题，元廷也采取了相应的措施。一方面，对于不赴任的官员给予免官处理，如《元史》记载，至治二年（1322年）闰五月，“敕已除不赴任者，夺其官”。另一方面，朝廷采取优待政策鼓励官员赴任，如皇庆二年（1313年）六月，御史台建议对到边远地区任职的地方官员给予擢升一级的奖励，得到元仁宗许可，但是仍然没有多少人愿意冒险前往边远地区任职，因而在元英宗时期把这一奖励提升到了擢升二级。尽管给予了擢升二级的优待，但是边疆地区官员仍然严重缺乏，元朝许有壬《至正集》对此记载："今年广西一道，至今阙官，令经历权摄司事。广东、海南、福建，悉皆阙人，盖是已除者托故不来，而到任者不久即去。"为了解决官员缺乏问题，元代时广西可以直接从学校之内破格提拔教师作为地方基层官员。《元史》记载，泰定四年（1327年），"广海阙官，于任满得代，有由应得路府州县儒学教授、学正、山长内愿充者，借注正九品以下名阙，任回"。由此可见，直到元代后期，广西仍然是缺官最严重的地区之一。

广海选制度的消亡

元朝末年，"盗贼阻隔"，正常的铨选难以进行，官员缺乏问题仍然严重，所以广海选制度又有新的变化。《元史》记载，至正十五年（1355年）中书省臣奏请："江南因盗贼阻隔，所在阙官，宜遣人与各省及行台官以广东、广西、海北、海南三品以下通行迁调，五品以下先行照会之任，江浙行省三年一次迁调，福建等处阙官亦依前例。"元顺帝批准了这一建议。此后，随着元末局势变化，朝廷无暇顾及广海选官员之事，广海选制度趋于消亡。

总而言之，广海选制度是元朝针对南部边疆地区缺官问题所制定的一种特殊的官员铨选制度，它继承并发展了唐宋南选制度，在一定程度上缓解了边疆地区官员缺乏的问题，为元朝加强对边疆地区的管理与开发做出了一定的贡献。

元代广西的屯田

广西两江道宣慰司都元帅壮兵屯田：成宗大德二年，黄圣许叛，逃之交趾，遗弃水田五百四十五顷七亩。部民有吕瑛者，言募牧兰等处及融庆溪洞瑶、壮民丁，于上浪、忠州诸处开屯耕种。十年，平大任洞贼黄德宁等，以其地所遗田土，续置藤州屯田。为户上浪屯一千二百八十二户，忠州屯六百一十四户，那扶屯一千九户，雷留屯一百八十七户，水口屯一千五百九十九户。续增藤州屯，二百八顷一十九亩。

——宋濂等《元史》卷一百《兵志三·湖广等处行中书省所辖屯田三处》

元朝时，由于多年战争，人口大量减少，生产力遭到严重破坏，大量荒地出现。元朝统治者采用屯田来恢复农业生产。元朝实行屯田的时间很早，《元史·兵志三·湖广等处行中书省所辖屯田三处》记载："国初，用兵征讨，遇坚城大敌，则必屯田以守。海内既一，于是内而各卫，外而行省，皆立屯田，以资军饷。或因古之制，或以地之宜。"在元中统、至元年间，元朝调集军队驻戍各地。关于如何解决军队的粮草供应问题，《元史》记载，当时的枢密院认为"天下无不可屯之兵，无不可耕之地矣"，认为兵可以屯田，地就可以开垦，于是以"一卫万人，尝调二千屯田"，强调各卫都要抽调人从事屯田，以解决军粮问题。在此背景下，元代广西也进行了较大规模的屯田。

元代桂西南地区的屯田

元代广西的屯田始于元朝廷征伐桂西南左江流域上思州知州黄圣许。元朝时，左江流域的土酋势力以黄氏为盛。黄氏利用上思州处于广西十万大山山脉及南部接近安南王朝的有利地形，不断与右江流域岑姓土酋相互攻伐，争夺左右江地区控制权，被元廷视为"边患"。其中，黄氏又以思明路上思州的黄圣许势力最为雄厚。元朝廷对上思州黄圣许在元初内附后又勾连交趾，以交趾为外援劫掠溪峒的做法大为不满。特别是黄圣许还与两次打败元朝军队的安南兴道王陈国峻维持了联姻关系，因而在元至元二十九年（1292年）元廷派大将刘国杰征讨黄圣许。黄圣许战败，率三十人逃入交趾。鉴于上思州处于元朝廷经略安南的前沿阵地，在黄圣许败退交趾后，元廷决定在上思州设立屯田以控制左右江地区并为再次征讨安南做准备。《元史》记载：“（至元）二十八年，时知上思州黄胜许恃其险远，与交趾为表里，寇边。二十九年，诏国杰讨之……夏，师还，尽取贼巢地为屯田。”

至元三十年（1293年），时任湖广行省平章政事哈剌哈孙奏请，招募桂西南丹州的壮族民众五千户到黄圣许故地屯戍，《元史》对此记载：“（至元）三十年，广西元帅府请募南丹五千户屯田，事上行省，哈剌哈孙曰：‘此土著之民，诚为便之，内足以实空地，外足以制交趾之寇，可不烦士卒而馈饷有余。’即命度地立为五屯，统以屯长，给牛、种、农具与之。”

由此可见，至元二十九年（1292年）元朝廷征讨黄圣许，并在其地募南丹州五千户屯田，与至元三十年（1293年）元朝第三次征讨交趾的行动紧密关联，旨在推动实现哈剌哈孙提出的“内足以实空地，外足以制交趾之寇”的意图。

关于元代在桂西南左江流域的屯田地点和规模，《元史》记载：“广西两江道宣慰司都元帅壮兵屯田。成宗大德二年，黄圣许叛，逃之交趾，遗弃水田五百四十五顷七亩。部民有吕瑛者，言募牧兰等处及融庆溪洞瑶、壮民丁，于上浪、忠州诸处开屯耕种……为户上浪屯一千二百八十二户，忠州屯六百一十四户，那扶屯一千九户，雷留屯一百八十七户，水口屯一千五百九十九户。”

元代桂东南地区的屯田

除桂西南左江流域之外，元朝廷还在桂东南地区的藤州设置了屯田，元朝在藤州设置屯田源于元朝廷平定了藤州黄德宁之乱。元朝苏天爵所编《元文类》记载，大德七年（1303年）四月，藤州“大任洞贼”黄德宁“杀人牛、犬祭兵，僭贼造妖，言劫掠，伪称皇帝”。彼时，黄德宁在当地的势力应该较为强大，不仅设立了丞相、六部尚书等官职，还建立了被元廷称为“古蛮衙”的行政机构。元朝廷经过三年的军事征伐，于大德十年（1306年）平定了藤州黄德宁之乱。鉴于藤州位于浔江与西江交汇之处，为控御西江主干道的重要据点，因而元朝在平定黄德宁之乱后将其弃置的田地改置为屯田。

元代桂中地区的屯田

桂中地区也有元代设置的屯田。偰文质于至顺年间担任同知广西宣慰司事副都元帅时，在当地招抚屯户驻耕防守。宾州是元末广西屯田万户府的所在地，明洪武二十九年（1396年），明朝廷在宾州管辖下的迁江县（今广西来宾兴宾区）设置了迁江屯田千户所，这无疑是承袭元代在此地屯田的结果。关于庆远路屯田的设置情况，嘉靖《广西通志》记载，元朝廷在庆远路设置了三个屯田千户所，分别是德胜屯田千户所、思恩屯田千户所、罗目屯田千户所，三个千户所基本是围绕府城周边的宜山、天河、思恩、忻城几个县进行设置的。

元代桂北地区的屯田

桂北地区静江府的屯田也颇具规模，元朝廷在静江路建立了静江路屯田千户所，屯田千户所所在地为茶峒（今桂林市临桂区茶洞镇）。关于静江路屯田千户所的建立过程，明宣德《桂林郡志》收录的元朝罗咸所作《静江茶峒屯田千户所碑记》记载："朝廷以岭南寇抄不常，选将校屯田，乘山列隧，绝诸厄塞，遏其逗渡。静江西南曰茶峒，当寇之冲，朝发而夕至郡焉。连络数百里，设千夫长二人，视五品，副一人；百夫长十七人，视七品，副如之。兵二千八十六人，人授田六亩，计田万二千四百八十有奇。前桂平县达鲁花赤泰安授忠翊校尉茶峒正千户守其地，初至，即捃摭利病，劳来远近，以为稍入。务农训兵，芟芜剃梗，连营树栅，日不遑息，楗江流，作堋以溉泻卤，民或少牛，无以趋泽，则俾佣贷而通其力……农隙则饬材阅武，搜以示礼，使民知战，故皆有勇而向方。居之七年，瑶僚屏迹，耕乐其业。”

此外，明宣德《桂林郡志》还详细记载了静江路屯田千户所所管辖的百户所、隘口的地理分布情况：“静江路所辖临桂、兴安、永福、义宁、古县五县，计隘口一十七处，千户一所（置于茶峒），百户一十七所，田一万二千四百八十亩五分五厘，兵二千八十六名。”该志对静江路屯田千户所所辖各百户所，以及各百户所所辖隘口的具体驻地及屯田数量、兵力都有详细的记载。

综上所述，元代在广西的屯田地理分布格局是：在桂中，以宾州为中心，设立了屯田万户府；在桂北，以静江路屯田千户所为分府；在桂东南，有藤州屯；在桂西南左江流域，有上思州屯。

元代广西屯田的意义

元朝在广西的屯田活动有着重要的意义。首先，元朝屯田在一定程度上对稳定南部边疆地区有着积极作用，如上思州屯田的建立，“内足以实空地，外足以制交趾之寇”，起到了“两江蔽障”的作用。其次，屯田的开置，在一定程度上促进了广西经济的发展，如静江路一带屯田，“居之七年瑶僚屏迹，耕乐其业”，广大民众借屯田安居乐业，有利于促进社会经济的发展。再次，屯田的开置，一定程度上促进了广西各民族的交往交流交融，如上思州、藤州屯田的设置，从桂西庆远路南丹州招募壮族民众屯田驻守，由此促成了壮族在广西的持续迁徙。民族迁徙不仅造就了广西各民族的分布格局，也为各民族交往交流交融创造了条件，因而也成为民族融合不可或缺的催化剂。

主要参考资料

［1］脱脱等撰《宋史》，中华书局，1977年。

［2］宋濂等撰《元史》，中华书局，1976年。

［3］周去非撰《岭外代答》，清道光知不足斋丛书本。

［4］中国人民政治协商会议广西壮族自治区委员会编《历史名人在广西》，广西师范大学出版社，2012年。

［5］莫乃群主编《广西历史人物传》，广西地方史志研究组编印，1984年。

［6］周长山、刘祥学、宾长初主编《广西通史·第四卷·宋元卷》，广西师范大学出版社，2019年。

［7］周振鹤主编《中国行政区划通史·宋西夏卷》，复旦大学出版，2007年。

［8］李治安：《元代政治制度研究》，人民出版社，2003年。

［9］李治安：《元代行省制度》，中华书局，2011年。

［10］杜树海：《边境上的中国：11世纪以来广西中越边境地区的历史与记忆》，九州出版社，2020年。

［11］黄宝华：《黄庭坚评传》，南京大学出版社，1998年。

［12］广西壮族自治区通志馆编《二十四史广西资料辑录（四）》，广西人民出版社，1989年。

[13] 蓝武：《试探元代在广西民族地区的屯田》，《内蒙古社会科学（汉文版）》2005年第1期。

[14] 伍锦昌：《宋代旅桂文人研究》，广西师范大学博士学位论文，2015年。

[15] 罗昌繁：《元祐党籍碑的立毁与版本源流——兼论元祐党籍名录的变更》，《北京社会科学》2018年第11期。

[16] 陈乐素：《桂林石刻〈元祐党籍〉》，《学术研究》1983年第6期。

[17] 贾建增：《元朝广海选制度初探》，《中国边疆史地研究》2020年第2期。

[18] 杨浣：《〈平乐府学记〉考释——兼论元末西夏遗裔也儿吉尼在广西的政绩》，《北方民族大学学报（哲学社会科学版）》2009年第5期。

[19] 陈朝阳：《熙宁末年宋交战争考述》，《中国史研究》2012年第2期。

[20] 杨武泉：《周去非与〈岭外代答〉》，《中南民族学院学报（哲学社会科学版）》1994第2期。

[21] 任建敏：《元末广西的财政能力与钞法流通》，《中国社会经济史研究》2017年第4期。

后记

在中华文明的历史长河中，广西是一个不可忽略的南方坐标。

一方面，广西先民依山逐水，以身躯为笔，以血汗为墨，绘制出壮美的历史丹青。在各民族交往交流交融中，八桂渐变为文明之域。在此进程中，广西的天地之境、人物之英、事功之变，自是多有令人兴思回味之处。

另一方面，历史并非完成时态，而是一个开放的问题田野，用时代视角来解读旧日天地，是一个“其命维新”式的永恒命题。在这个层面，广西文明的意义触角一如山之落脉、水之旁流，延展、分叉、变化，最终融汇为可资推阐的“无尽藏”。

为了呼应时代的需求，彰显广西的历史底蕴和文化特色，在广西壮族自治区党委宣传部的组织策划下，广西人民出版社以弘扬中华优秀传统文化、铸牢中华民族共同体意识为导向，以20世纪80年代出版的《二十四史广西资料辑录》为基础，出版《正史里的广西》（五卷本），讲述中华文明发展中的广西故事。

为讲好正史里的广西故事，广西人民出版社邀请中国史学会副会长、北京大学历史学系原主任张帆教授担任编委会主任，广西民族大学历史系四位学者组成撰写团队，广西民族大学民族学与社会学学院王柏中教授、郝国强教授担任顾问。《正史里的广西》共分“先秦秦汉魏晋南北朝”“隋唐”“宋元”“明代”“清代”五卷。各卷依据不同时代正史的材料，拟定了类型多样的专题，其中既有对单一人物、事件的浓描，也有对历史发展脉络的梳理；既有对历史名人的重点书写，也有对整体自然环境、物质文化、社会生活的统览。

《正史里的广西》五卷本的基本内容如下：

第一册“先秦秦汉魏晋南北朝卷”，由韩周敬撰写。以《史记》《汉书》《后汉书》《三国志》《晋书》等史书为主要史料来源，围绕先秦至南北朝时期与广西有关的重要人物、事件，梳理了陈钦、陈元、孟尝、士燮、牟子、陆绩、绿珠、葛洪、颜延之等人的行迹，叙述了灵渠的开凿、秦朝岭南三郡的建置、汉武帝平定南越、海上丝绸之路的开辟、吴国的交广分治等重要史事。此外，本卷还对骆越先民的生活图景、句町方国的历史、广西的天文分野、独特而多元的饮食、与人类共生的动物、岭北对广西的文化想象等专题进行了论述，生动揭示了先秦至南北朝时期广西历史的丰富面貌。

第二册“隋唐卷”，由滕兰花撰写。以《隋书》《旧唐书》《新唐书》等史书为主要史料来源，参照文集等文献，并对重要撰述对象进行田野调查。隋唐时期，广西本地英杰辈出，如赵观文、曹邺等，也有不少南来的名人，如裴矩、令狐熙、柳宗元、李商隐、鉴真等，本卷对他们与广西的关系做了较为细致的探究。此外，对南选制度、潭蓬运河、相思埭运河、风物土产和民间艺术等也进行了饶有兴味的论述。

第三册“宋元卷”，由龙小峰撰写。以《宋史》《元史》为主要史料来源，辅以地方志、文集和碑刻等相关材料。选取宋元时期较为典型的相关历史人物或事件，如周渭、曹克明、范成大、周去非、苏轼、萧注、李师中、苏缄、岳霖、马塈、史格、黄圣许等，以他们在广西的事迹为主线，侧重从政治、军事、经济、文化等方面，展现宋元时期中央王朝对广西乃至南疆的经略，以及广西在中央王朝经略背景下日益融入国家治理体系的过程。

第四册“明代卷”，由邓平撰写。以《明史》为主要史料来源，参照《明实录》《明会典》及地方志、文集等相关文献，选取明代与广西有关的典型历史人物，如朱守谦、岑瑛、孝穆纪太后、蒋冕、王阳明、瓦氏夫人、徐霞客等，以他们的生平事迹为论述核心，着力呈现明代国家治理下的广西社会情况。此外，本卷对布政使司、土司制度、卫所、人口迁徙与民族交往交流交融等主题也做了简要梳理。

第五册“清代卷”，由邓平撰写。以《清史稿》为主要史料来源，参照《清实录》《大清会典》及中国第一历史档案馆馆藏档案、地方志、文集、碑刻等相关文献资料，选取清代与广西有关的典型历史人物，如石涛、于成龙、汪森、甘汝来、金鉷、陈宏谋、苏元春、岑春煊、康有为等，讲述他们在政治、经济、文化等各领域的贡献，以及他们对广西乃至中国历史进程的重要影响。此外，本卷对金田起义、镇南关大捷、近代新思想传入广西等重要历史事件也进行了梳理。

在写作风格上，五卷本《正史里的广西》力求图文并茂，达到学术性与通俗性的统一。在篇目布局上，按照时代先后顺序排列。各卷所参考的主要文献、著作，已罗列于正文之后。另有数量众多的参考论文，限于体例，难以对其来源一一详举，还请读者见谅。

最后，感谢广西人民出版社的信任，感谢审稿专家提出的宝贵意见。对作者团队来说，每个人物故事都是在进行古今对话，每次史料钩沉都是在重塑认知版图，每幅历史图景都是在生发家国共情，但受限于学力才识，书中难免有疏漏与不足之处，恳请读者不吝赐教。